O Lado Sombrio dos Buscadores da Luz

Debbie Ford

O Lado Sombrio dos Buscadores da Luz

Recupere seu poder, criatividade
e confiança, e realize os seus sonhos

Tradução de
ROSANE ALBERT

Prefácio de
NEALE DONALD WALSCH

Editora
Cultrix
SÃO PAULO

Título original: *The Dark Side of the Light Chasers*.

Copyright © 1998 Debbie Ford.

Copyright da edição brasileira © 2001 Editora Pensamento-Cultrix Ltda.

1ª edição 2001.
14ª reimpressão 2024.

Publicado mediante acordo com a Riverhead Books, uma divisão da Penguin Putnam, Inc.

Todos os direitos reservados. Nenhuma parte deste livro pode ser reproduzida ou usada de qualquer forma ou por qualquer meio, eletrônico ou mecânico, inclusive fotocópias, gravações ou sistema de armazenamento em banco de dados, sem permissão por escrito, exceto nos casos de trechos curtos citados em resenhas críticas ou artigos de revistas.

A Editora Cultrix não se responsabiliza por eventuais mudanças ocorridas nos endereços convencionais ou eletrônicos citados neste livro.

Direitos de tradução para o Brasil adquiridos com exclusividade pela
EDITORA PENSAMENTO-CULTRIX LTDA, que se reserva a
propriedade literária desta tradução.
Rua Dr. Mário Vicente, 368 – 04270-000 – São Paulo, SP – Fone: (11) 2066-9000
http://www.editoracultrix.com.br
E-mail: atendimento@editoracultrix.com.br
Foi feito o depósito legal.

AGRADECIMENTOS

Bem do fundo do meu coração, quero declarar meu amor e minha gratidão a todos aqueles que me deram carinho e apoio durante o processo de gestação deste livro.

À minha irmã, a brilhante e linda Arielle Ford, por ser a minha melhor amiga, minha fã mais entusiasta e minha empresária, além de compartilhar comigo a mesma visão sobre saúde e integridade.

A Peter Guzzardi, que me transmitiu a confiança necessária para escrever este livro, por sempre ter me conduzido de volta à minha mensagem, enquanto dividia comigo seu amor e seu discernimento.

A Neale Donald Walsch, por seu apoio na difusão do meu trabalho pelo mundo.

A Stephen Samuels, meu amigo e professor, que me fez recuperar a juventude e a vivacidade. Eu lhe agradeço por todas as horas que passou fazendo-me olhar cada vez mais profundamente para dentro de mim mesma e por ter me ajudado a finalizar este livro.

Ao meu querido pai que está no céu, juiz Harvey Ford, por honrar e respeitar meus sonhos.

Ao meu irmão, Michael Ford, por acreditar sempre em mim.

Ao meu segundo pai, dr. Howard Fuerst, por ter sido um excelente modelo para todos nós, que desejamos recuperar nossas vidas e transformá-las.

À vovó Ada, que sempre me aceitou e me apoiou para que eu chegasse ao estágio final da minha educação.

À minha família, por seu amor incondicional: tia Pearl; tia Laura; tio Sandy; tio Stanley; Judy Ford; Anne Ford; Ashley; Eve; Sarah e Tyler Logan Ford; Bernice Bressler e Marty Bressler.

A Brian Hilliard, por se juntar à minha família e participar da minha vida e da minha carreira.

A Dan Bressler, por ser um pai fantástico para nosso filho, Beau, e por me apoiar enquanto eu escrevia este livro.

A Susan Petersen, por sua visão e pelo compromisso que assumiu com este livro.

A Wendy Carlton, por seu compromisso com a excelência e por ter sido o melhor editor que alguém poderia desejar. A Jennifer Repo e seu pessoal maravilhoso da Putnam.

Aos meus melhores amigos: Rachel Levy, por ter me encorajado e amado durante todo este imenso projeto e por se empenhar para levar a Terapia da Sombra para Miami; e Danielle Dorman, por ter me escutado durante horas a fio, apoiando-me incansavelmente.

E a seus santos maridos, Henry Levy e Patrick Dorman, por compreenderem as exigências de uma amizade verdadeira.

A Jeremiah Abrams, por ter sido não só um professor amoroso, mas também um amigo.

A Deepak Chopra, por ter me acolhido em sua família espiritual, me abrindo a porta para infinitas possibilidades e me orientando no desenvolvimento do meu trabalho.

À Rita Chopra, por seu amor e sua generosidade constantes.

Ao dr. David Simon, por ser um espírito irmão e partilhar seu discernimento comigo.

A todo o pessoal do Chopra Center for Well Being.

À Landmark Education Corporation, ao Hoffman Quadrinity Process e à JFK University, por terem me educado e me treinado. Aos meus professores: Susanne West, dr. Barry Martin e Sandra Delay, que tiveram grande influência na minha vida.

A Rich Petrick, obrigada por ter me feito mudar para o Oeste e me conduzido a uma nova esfera de realidade. Aos meus amigos em

San Francisco: Sherill Edwards, Curt Hill, Nancy Kleinman, Joan Bordeaux e Susan August. E a todos os inúmeros participantes dos meus seminários em Oakland, obrigada por me instruírem.

Aos milhares de pessoas que participaram das minhas palestras e cursos, que se entregaram tão generosamente e que compartilharam comigo sua vida íntima. Sem elas eu não poderia ter escrito este livro.

Ao meu querido amigo Brent BecVar, por seu entusiasmo e amor.

Obrigada a todos os amigos que me ajudaram nos momentos mais difíceis: Luba Bozanich, Amy Karen, Joyce Ostin, Michael Mindich, Robert Lee, Howard Schwartz, Bill Spinoza, Barbara Marks, Samantha Hudson, Jan Smith, Joni Lang, Carol Sontag, Sue Campbell, Alys Marks e Julie e Jerry Brown.

A Monroe Zalkin, por sempre ter acreditado em mim. A Don Soffer, que me ensinou o que é ter um coração generoso. Ao meu querido amigo Olaf Halvorssen, que sempre me inspirou com sua fé e sua persistência. A Fred Greene, que me ensinou o significado da compaixão.

Aos meus seguintes amigos, por estarem presentes nos momentos mais brilhantes e nas horas mais sombrias: Francis Warner, Sarah McClain, Vivian Glyck, Patty Eddy, Kimberly Wise, Michael Clark, Jennifer Mercurio, Peter Lawrence, Carla Picardi, Terri Garcia, Margaret Bohla, Becky Hansen, Dennis Schmucker, Elyse Santoro, Vera Pacillo, Alisha Starr e Shelly Star. A Midge McDonald e Marcella Flekalova, por amar e acalentar meu corpo e minha alma.

À minha alma gêmea Adriana Nienow, por seu amor e sua coragem extraordinários.

A Peg, Laura e Katherine, do quadro de pessoal do fabuloso Ford Group.

A todos aqueles que eu possa ter deixado de mencionar; vocês não foram esquecidos. Obrigada por ter tocado o meu coração e influenciado minha vida.

A Anthony Benson, meu novo velho amigo, por estar presente na undécima hora.

Ao meu lindo filho, Beau, por me ensinar sobre o amor incondicional e por abrir meu coração de tal forma que eu jamais imaginaria possível. E à sua maravilhosa babá, Roberta Morales, que tomou conta de nós de maneira tão especial enquanto eu escrevia.

Fui abençoada com a sabedoria do Universo. Percebo isso sempre que fecho os olhos e presto atenção. Obrigada, Senhor, por me permitir expressar essa informação. Obrigada por me orientar e me proteger. Do fundo do meu coração, amo você.

SUMÁRIO

INTRODUÇÃO 11

PREFÁCIO 15

CAPÍTULO 1. Mundo Exterior, Mundo Interior..................... 19

CAPÍTULO 2. Em Busca da Sombra 29

CAPÍTULO 3. O Mundo Está Dentro de Nós........................ 43

CAPÍTULO 4. A Recuperação de Nós Mesmos...................... 59

CAPÍTULO 5. Conheça a Sua Sombra, Conheça a Si Mesmo... 77

CAPÍTULO 6. "Eu Sou Isso".. 95

CAPÍTULO 7. Assimile o Seu Lado Sombrio 117

CAPÍTULO 8. Reinterpretando a Si Mesmo.......................... 139

CAPÍTULO 9. Deixe a Sua Luz Própria Brilhar..................... 165

CAPÍTULO 10. A Vida Merece Ser Vivida............................. 189

EPÍLOGO 213

Este livro é dedicado à
minha linda mãe, Sheila Fuerst.
Obrigada por ter me dado o dom da vida
e por ser minha mãe.

INTRODUÇÃO

O trabalho da sombra está presente desde o começo dos tempos. É a verdadeira essência do impulso religioso, onde tradicionalmente temos procurado um equilíbrio entre a luz e a escuridão. Lembra-se de Lúcifer, que chegou a ser o mais brilhante dos anjos? A queda dele é a tentação que todos nós enfrentamos. Somos continuamente exortados a permanecer atentos para não ficarmos sob a influência do lado sombrio.

Recentemente, fui lembrado da natureza perene do trabalho com a sombra por uma pessoa da platéia, em Minneapolis, que se levantou, depois de uma palestra que eu dera sobre a sombra, e perguntou: "Você não está apenas despejando vinho velho em garrafas novas?"

"Bom, sim", respondi, de certo modo surpreso por ela ter feito essa relação. "O lado sombrio tem sido uma parte de todas as nossas tradições religiosas. Mas estamos sempre precisando de novos recipientes e de uma nova linguagem que seja contemporânea ao transe pelo qual passa a humanidade. Sim, está certo", repeti, "o trabalho com a sombra é vinho velho."

Esse questionador me lembrou de diversos clientes que se viram diante da própria sombra no meu consultório, no decorrer de muitos anos. Cada geração precisa de novos caminhos para falar do fenômeno da sombra, tanto da sombra positiva quanto da negativa. A escuridão não significa somente o aspecto negativo, refere-se a algo que está fora do alcance da luz ou da nossa consciência. A fase inicial do conselho terapêutico é confessional e muito semelhante à venerável instituição católica da confissão: nós ouvimos a pessoa falar sobre más ações e falhas, de que forma alguém chegou a uma situação dolorosa ou de como não foi capaz de realizar seu potencial positivo. Somos desafiados a transmitir realidade e dar significado àquilo que está sendo trabalhado com os clientes, para ajudá-los a se conscientizar de suas partes rejeitadas. O maior pecado pode ser uma vida não vivida.

Nesse episódio espontâneo em Minnesota, lembravam-me também que o eminente psicólogo suíço C. G. Jung escreveu no seu livro de 1937, *Psychology and Religion*: "Para alcançar a compreensão de assuntos religiosos, é provável que tudo o que nos restou hoje seja a abordagem psicológica. É por isso que pego essas formas-pensamento que foram fixadas historicamente, tento derretê-las de novo e colocá-las em moldes de prática instantânea".

O conceito de sombra é como um molde. É uma maneira de simbolizar na linguagem o lado não reconhecido da personalidade e transmitir-lhe realidade, um significado para nos apegarmos e falar sobre nossas partes desconhecidas. A sombra se refere àquela nossa porção que está sempre se alterando e mudando à luz do ego consciente, àqueles nossos aspectos que não conseguimos trazer completamente à percepção responsável. Como indivíduos e membros de uma cultura específica, passamos o tempo todo selecionando e corrigindo experiências, criando um ideal do ser e do mundo baseado no ego. Quanto mais procuramos a luz, mais densa se torna a Sombra.

Conhecemos a sombra por muitos nomes: lado sombrio, *alter ego*, o eu inferior, o outro, o duplo, o gêmeo da escuridão, o eu repudiado, o eu reprimido, o id. Falamos em encontrar nossos demônios, lutar com o diabo (o diabo me faz fazer isso), uma descida ao submundo, uma noite escura da alma, uma crise da meia-idade.

A sombra começa com a mais remota emancipação de um "eu" da grande unidade da consciência de onde todos nós viemos. A formação da sombra corre paralelamente ao desenvolvimento do ego. O que não combina com o desenvolvimento do nosso ego ideal – nosso pensamento idealizado do ser, reforçado individualmente pela família e pela cultura – torna-se sombra. O poeta e escritor Robert Bly chama a sombra de "o grande saco que arrastamos atrás de nós". "Até os vinte anos, passamos a vida decidindo quais as partes de nós mesmos que vamos pôr no saco", diz Bly, "e o resto do tempo ficamos tentando tirá-las de lá."

"Você prefere ser inteiro ou bom?", perguntou Jung, a pessoa que cunhou o termo poético "sombra" e moldou esse conceito para nossa época. Jung prestou atenção especialmente no trabalho de integração da sombra, sugerindo que era uma iniciação à vida psicológica – a tarefa do aprendiz, como ele a chamou –, um conhecimento essencial para nossa própria realização. "A realização da sombra é um problema eminentemente prático", disse ele, "que não deveria ser desviado para uma atividade intelectual, porque tem muito mais o significado de um sofrimento e uma paixão que engloba a pessoa inteira."

A terapia da sombra, como Debbie Ford descreve tão claramente neste livro, se refere a um processo contínuo de despolarização e equilíbrio, de sanar a ruptura existente entre nosso sentido consciente do ser e tudo o mais que somos ou deveríamos ser. Como a prática chamada "Caminho do Meio", no budismo, a integração da sombra nos dá uma consciência unificada que nos permite reduzir a inibição da sombra ou os potenciais destrutivos, liberando as energias vitais retidas que são vislumbradas nas aparências e posturas exigidas para encobrir o que não conseguimos aceitar em nós mesmos. Esse trabalho traz benefícios que vão além da esfera pessoal e é capaz de agir para o bem coletivo no seu sentido mais amplo. Se equilibrarmos as tensões que brotam no nosso próprio jardim, os efeitos disso se espalharão por todos os campos da terra.

Não podemos deixar de dar valor a um livro sobre a sombra. É um presente arduamente conseguido, é o tesouro do conhecimento arrancado dos deuses, muitas vezes com um grande e heróico sacrifício. Um livro sobre a sombra não se destina apenas à nossa mente, mas é mais bem entendido por nosso coração e nossa imaginação.

O Lado Sombrio dos Buscadores da Luz é vinho velho em novos odres. Ele conserva o paladar e o buquê. A embalagem é contemporânea, um processo de integração da sombra adequado a nossos tempos. Devemos aceitar o conselho de Debbie Ford e, aqui no início, sacralizar nosso próprio trabalho com a sombra como uma oferenda ao que há de mais alto em nós: ao amor, à piedade, à tarefa do coração. Como nos recorda o sábio espírito do *I Ching*, ou *Livro das Mutações*:*

Apenas quando tivermos a coragem
de encarar as coisas exatamente como elas são,
sem enganar a nós mesmos nem nos iludir,
surgirá uma luz dos acontecimentos,
permitindo que o caminho do sucesso
seja reconhecido.

I Ching
Hexagrama 5, Hsü,
Espera (Nutrição)

---

* Publicado pela Editora Pensamento, São Paulo, 1983.

PREFÁCIO

Quando eu era criança, não me sentia bem comigo mesmo. De fato, havia momentos em que eu realmente detestava ser quem eu era. Acreditava que era o único menino no mundo tão desajeitado, tão incapaz de fazer amigos e tão ridicularizado pela confraria de colegas da qual eu, desesperadamente – e tão sem sucesso –, ansiava por fazer parte.

As coisas não mudaram muito quando me tornei adulto. Sim, pensei que fosse tomar um novo rumo. Até me mudei para uma nova cidade, onde ninguém me conhecia. Onde ninguém ficaria sabendo da minha tendência infantil de me vangloriar para compensar a falta de confiança em mim mesmo. Ninguém teria visto o que os adultos da minha infância chamavam de meu "estouvamento". E ninguém saberia sobre meu hábito de ser "invasivo", enchendo o ambiente com minha presença a ponto de ninguém mais sentir que tinha espaço para aparecer. Meu desajustamento social jamais seria descoberto.

Bom, percebi que não adiantava me mudar de cidade, já que eu iria junto.

Até que chegou o dia em que descobri a mim mesmo, num retiro de crescimento individual organizado pelo departamento pessoal da empresa em que eu trabalhava. A coordenadora do retiro me disse alguma coisa de que eu jamais me esquecerei.

"Tudo aquilo que você chama de erros, todas as coisas de que você não gosta a respeito de si mesmo são seus maiores trunfos", disse ela. "Eles somente estão amplificados acima do desejado. O botão do volume foi girado um pouco a mais do que deveria, só isso. Basta abaixar um pouco. Logo, você – e todos os demais – verá sua fraqueza como sua fortaleza, seus pontos 'negativos' como 'positivos'. Eles se tornarão excelentes instrumentos, prontos para trabalhar a seu favor, em vez de contra. Tudo o que você tem a fazer é aprender a invocar esses traços de personalidade em doses apropriadas para o momento. Calcule qual é a quantidade necessária de suas maravilhosas qualidades e não libere nada além disso."

Senti como se tivesse sido atingido por um raio. Nunca ouvira nada parecido, e ainda assim sentia instintivamente que era verdade. Minha bazófia não era nada mais do que confiança amplificada. O que as pessoas chamavam de "estouvamento" ou "imprudência" em minha juventude não era nada além de espontaneidade e pensamento positivo, também ampliados além do exigido. E a atitude invasiva era apenas minha capacidade de liderança, minha agilidade verbal e minha disposição para vencer – todas colocadas três pontos acima do necessário.

Percebi que todos esses aspectos do meu ser eram qualidades pelas quais eu fora elogiado vez por outra. Não era de admirar que eu ficara confuso!

Foi só então, quando olhei para o lado da sombra e vi com clareza por que os outros algumas vezes chamavam meus comportamentos de "negativos", que também percebi o benefício de cada um deles. Tudo o que eu tinha a fazer era empregar esses comportamentos de forma diferente e não reprimi-los nem rejeitá-los. Simplesmente usá-los de maneira diferente.

Eu agora entendo a extraordinária importância de levar uma vida completa. Isto é, permitir a mim mesmo, em primeiro lugar, perceber e, então, fundir todos os aspectos que me compõem – aqueles que eu e os outros chamamos de "positivos" e aqueles que chamamos de "negativos" – em um magnífico Todo.

Por meio desse processo, finalmente fiz amigos. Mas como demorou para chegar nesse ponto! E como o processo teria sido mais rápido se eu tivesse tido a revelação das visões profundas e da maravilhosa sabedoria deste livro de Debbie Ford.

Leia este livro cuidadosamente. Leia-o uma vez, e outra vez ainda. E, então, leia-o uma terceira vez para chegar à medida certa. Faça os exercícios sugeridos nele. Eu desafio você.

Eu o desafio duplamente.

Mas não leia o livro nem faça os exercícios se não quiser que sua vida mude. Feche o livro neste minuto. Ponha-o na prateleira mais alta de sua estante, onde nunca mais possa alcançá-lo. Ou dê o livro a um amigo. Porque será praticamente impossível lê-lo sem sentir mudanças em sua vida.

Acredito que a vida deve ser levada com absoluta visibilidade; o que significa com transparência total. Nada escondido, nada negado. Nem mesmo a parte de mim mesmo para a qual não desejo olhar, muito menos conhecer. Se concordar comigo em que a visibilidade é a chave da autenticidade e que a autenticidade é a porta de acesso ao seu Verdadeiro Eu, você agradecerá a Debbie Ford do fundo do coração por este livro, porque ele o conduzirá àquela entrada, atrás da qual se encontra a alegria duradoura, a paz interior e onde seu amor-próprio ocupará um lugar tão vasto que você finalmente encontrará espaço para amar os outros incondicionalmente.

E, uma vez iniciado esse ciclo, você não só mudará a sua vida, mas começará verdadeiramente a transformar o mundo.

Neale Donald Walsch
Ashland, Oregon

1

Mundo Exterior, Mundo Interior

A maioria das pessoas abandona o caminho do crescimento individual porque em algum ponto a carga da dor se tornou pesada demais para ser suportada. *O Lado Sombrio dos Buscadores da Luz* revela como desmascarar aquele determinado aspecto de cada um que destrói os relacionamentos, mata o espírito e nos impede de realizar nossos sonhos. É aquilo a que o psicólogo Carl Jung chamou de "sombra". Contém todas as nossas facetas que tentamos esconder ou negar; os aspectos sombrios que julgamos não serem aceitáveis para a família, para os amigos e, mais importante, para nós mesmos. O lado sombrio está calcado profundamente em nossa consciência, escondido de nós e dos outros. A mensagem transmitida desse local oculto é simples: há alguma coisa errada comigo. Não estou bem. Não sou atraente. Não mereço ser bem-sucedido. Não tenho valor.

Muitos de nós acreditamos nessas mensagens. Cremos que, se olharmos bem de perto o que jaz nas profundezas do nosso ser, acharemos alguma coisa horrível. Evitamos nos aprofundar com medo de descobrir alguém com quem não consigamos conviver. Temos medo de nós mesmos. Tememos qualquer pensamento ou sentimento que tenhamos recalcado em algum momento. Diversas pessoas estão de tal forma inconscientes desse medo que só conseguem vislumbrá-lo quando refletido. Nós o projetamos no mundo, na família, nos amigos e em estranhos. O medo está arraigado tão profundamente que a única maneira de lidar com ele é escondê-lo ou negá-lo. Nós nos tornamos grandes impostores que enganam a si mesmos e aos outros. Somos tão bons nisso que realmente esquecemos que estamos usando máscaras para esconder nossas personalidades autênticas. Acreditamos que somos as pessoas que vemos no espelho ou que somos nosso corpo e nossa mente. Mesmo depois de anos observando nossos relacionamentos, carreiras, dietas e sonhos fracassarem, continuamos a abafar essas mensagens internas perturbadoras. Dizemos a nós mesmos que estamos bem e que as coisas vão melhorar. Colocamos vendas nos olhos e abafadores nos ouvidos para poder manter vivas as histórias que criamos. Não estou bem. Não sou atraente. Não mereço ser bem-sucedido. Não tenho valor.

Em vez de tentar suprimir nossas sombras, precisamos revelar, reconhecer e assumir as coisas que mais tememos encarar. Ao empregar a palavra "reconhecer", estou me referindo a ter conhecimento de que uma determinada característica pertence a você. "A sombra é que detém as pistas", diz o conselheiro espiritual e escritor Lazaris. "Ela também possui o segredo da mudança, mudança que pode chegar ao plano celular ou até mesmo afetar seu DNA." Nossas sombras são detentoras da essência daquilo que somos; guardam os nossos bens mais preciosos. Ao encarar esses aspectos de nós mesmos, ficamos livres para viver nossa gloriosa totalidade: o lado bom e o mau, a escuridão e a luz. Ao assumir tudo o que somos, alcançamos a liberdade para decidir o que fazer neste mundo. Enquanto continuarmos a esconder, mascarar e projetar o que está em nosso interior, não teremos liberdade de ser nem de escolher.

Nossas sombras existem para nos ensinar, guiar e abençoar com nosso eu completo. São fontes que devem ser expostas e exploradas. Os sentimentos que abafamos estão ansiosos para se integrar a nós mesmos. Eles são prejudiciais apenas quando reprimidos: podem surgir de repente nas ocasiões menos oportunas, e seus botes repentinos vão incapacitá-lo nas áreas mais importantes de sua vida.

Sua vida se transformará quando você fizer as pazes com sua sombra. A lagarta se tornará, surpreendentemente, uma linda borboleta. Você não precisará mais fingir ser alguém que não é. Não será mais necessário provar que você é o máximo. Quando assumir sua sombra, você deixará de viver num constante estado de temor. Descubra os dons da sua sombra e finalmente você revelará seu verdadeiro eu em toda a sua glória e terá a liberdade para criar o tipo de vida que sempre quis.

Toda pessoa nasce com um sistema emocional saudável. Ao nascer, nos amamos e nos aceitamos, sem fazer julgamentos sobre quais são nossas partes boas e quais as ruins. Ocupamos a integridade do nosso ser, vivendo o momento e expressando livremente o nosso eu. À medida que crescemos, começamos a aprender com as pessoas à nossa volta. Elas nos dizem como agir, quando comer, quando dormir, e começamos a fazer distinções. Aprendemos quais são os comportamentos que nos garantem aceitação e quais os que provocam rejeição. Aprendemos ao conseguir uma resposta imediata ou quando nossos apelos não são atendidos, da mesma forma que passamos a confiar nas pessoas que nos rodeiam ou a odiá-las. Aprendemos o que é consistente e aquilo que é contraditório; quais as características aceitáveis em nosso meio e as que não o são. Tudo isso nos desvia da possibilidade de viver o momento e impede que nos expressemos livremente.

Precisamos reviver a experiência da nossa fase de inocência que nos permite aceitar tudo o que somos a cada momento, pois só dessa forma teremos uma existência saudável, feliz e completa. Esse é o caminho. No livro de Neale Donald Walsch, *Conversations with God*, Deus diz:

> O amor perfeito está para o sentimento como o branco total está para a cor. Muitos pensam que o branco é a ausência de cor, mas não é. Na verdade, é a abrangência de todas as cores. O branco é feito de todas as cores combinadas. Assim, também, o amor não é a falta de emoção (ódio, raiva, desejo, ciúme, dissimulação) mas a soma de todos os sentimentos. É a soma total, o montante agregado, o todo.

O amor é abrangente: aceita toda a ordem de emoções humanas – as emoções que escondemos e aquelas que tememos. Jung disse, certa vez: "Prefiro sentir-me inteiro do que ser bom". Quantos de nós traíram a si mesmos para serem bons, amados e aceitos?

A maioria das pessoas foi educada para acreditar que têm boas e más qualidades; portanto, para serem aceitas, são obrigadas a se livrar das más qualidades ou, pelo menos, a ocultá-las. Essa maneira de pensar ocorre quando começamos a individualizar as coisas, como é o caso do momento em que passamos a distinguir nossos dedos das grades do berço e percebemos a diferença entre nós e nossos pais. Mas, à medida que crescemos, nos damos conta de uma verdade ainda maior – que espiritualmente estamos todos ligados. Todos nós fazemos parte de cada pessoa. Desse ponto de vista, devemos perguntar se realmente há partes boas e más em nós mesmos. Ou são todas partes necessárias para formar um todo? Como saber o que é bom sem conhecer o que é mau? Como reconhecer o amor sem viver o ódio? Como podemos ser corajosos sem ter sentido medo?

O modelo holográfico do Universo nos dá uma visão revolucionária da relação entre o mundo interior e o exterior. Segundo essa teoria, cada pedaço do Universo, não importa em quantas fatias nós o dividirmos, contém a inteligência do todo. Nós, como seres humanos, não estamos isolados e dispersos. Cada pessoa é um microcosmo que reflete e contém o macrocosmo. "Se isso for verdade", diz o pesquisador de mentes Stanislav Grof, "então todos nós temos potencial para ter acesso experimental, direto e imediato a virtualmente qualquer aspecto do Universo, estendendo nossas capacidades bem além do alcance de nossos sentidos." A marca impressa do Universo inteiro está contida em todos nós. Como declara Deepak Chopra, "Não estamos no mundo, mas o mundo está dentro de nós". Cada um possui todas as qualidades humanas. Podemos ser tudo aquilo que vemos ou concebemos, e o propósito da nossa jornada é restaurar a integridade individual.

O santo e o cínico, o divino e o diabólico, o corajoso e o covarde: todos esses aspectos permanecem latentes em nós e vão agir, se não forem reconhecidos e integrados em nossa psique. Muitas pessoas têm medo tanto da luz quanto da escuridão; temem olhar para dentro de si mesmas, e o temor levanta muros tão espessos que perdemos a noção de quem realmente somos.

O Lado Sombrio dos Buscadores da Luz trata do trabalho a ser feito para atravessar esses muros, derrubar as barreiras que construímos e olhar, talvez pela primeira vez, para verificar quem realmente somos e o que estamos fazendo aqui. Ao ler este livro, você embarcará numa viagem que mudará sua maneira de enxergar a si mesmo, os outros e o mundo, abrirá seu coração e o encherá de respeito e compaixão por sua própria humanidade. O poeta persa Rumi dizia: "Por Deus, quando você enxerga sua própria beleza, torna-se o ídolo de si mesmo". Nestas páginas, apresento um processo para você descobrir o seu verdadeiro eu.

Jung, antes de mais nada, usou a palavra "sombra" para se referir àquelas partes da nossa personalidade que foram rejeitadas por medo, ignorância, vergonha ou falta de amor. Sua noção básica de sombra era simples: "a sombra é aquela pessoa que você não gostaria de ser". Ele acreditava que a integração da sombra causaria um impacto profundo, capacitando-nos a redescobrir uma fonte mais profunda da nossa própria vida espiritual. "Para fazer isso", dizia Jung, "somos obrigados a lutar com o mal, confrontar a sombra, para integrar o diabo. Não temos outra escolha."

Você precisa mergulhar na escuridão para trazer para fora a sua luz. Quando reprimimos qualquer sentimento ou impulso, também estamos reprimindo seu pólo oposto. Ao negar nossa fealdade, perdemos nossa beleza. Se negamos nosso medo, minimizamos nossa coragem. Se nos recusamos a ver nossa ganância, reduzimos nossa generosidade. Nossa grandeza completa é maior do que conseguimos conceber. Se você acreditar, como eu, que temos a marca impressa de toda a humanidade dentro de nós, então será capaz de ser a pessoa mais admirável que já conheceu, e, ao mesmo tempo, o pior ser que já chegou a imaginar. Este livro o ensinará a fazer as pazes com esses aspectos às vezes contraditórios de você mesmo.

Meu amigo Bill Spinoza, um instrutor de grupo de estudos superiores da Landmark Education, diz: "Aquilo com que você não consegue *coexistir* não o deixará *existir*". Você precisa aprender a deixar que tudo o que você é exista. Se quiser ser livre, antes de tudo tem de "ser". Isso significa que precisamos parar de nos julgar. Devemos nos perdoar por sermos humanos, imperfeitos. Porque, ao nos julgar, estamos automaticamente julgando os outros. E o que fazemos com os outros fazemos com nós mesmos. O mundo é um espelho de nós mesmos. Quando conseguimos nos aceitar e nos perdoar, fazemos a mesma coisa com os outros. Essa foi, para mim, uma dura lição a ser aprendida.

Treze anos atrás, acordei deitada no chão frio de mármore do meu banheiro. Meu corpo doía e meu hálito cheirava mal. Havia sido mais uma noitada de festas e drogas, e então, naturalmente, eu passara mal. Quando me levantei e olhei no espelho, percebi que não poderia continuar assim. Estava com 28 anos e ainda esperava que alguém aparecesse para cuidar de mim até que eu melhorasse. Mas, naquela manhã, me dei conta de que ninguém viria. Nem minha mãe, nem meu pai, nem meu príncipe encantado montado no seu cavalo branco. Eu estava numa encruzilhada, no vício das drogas. Sabia que em breve teria de escolher entre a vida e a morte. Ninguém poderia fazer essa escolha por mim. Ninguém mais poderia afastar meu sofrimento. Ninguém seria capaz de me ajudar até que eu fizesse isso comigo mesma. A mulher diante do espelho me causou um choque. Percebi que não tinha idéia de quem era ela, como se a estivesse vendo pela primeira vez. Cansada e assustada, fui até o telefone e pedi ajuda.

Minha vida mudou drasticamente. Naquela manhã, decidi ficar bem, sem me importar com quanto tempo isso levaria. Depois de terminar um programa de tratamento de 28 dias, estabeleci uma verdadeira odisséia para me recuperar por dentro e por fora. Parecia uma tarefa monstruosa, mas eu não tinha escolha. Cinco anos mais tarde, e tendo gasto aproximadamente 50 000 dólares, tornei-me uma pessoa diferente. Tinha me livrado dos meus vícios, trocado de amigos e mudado meus valores; porém, quando estava em silêncio, meditando, eu sentia que ainda havia partes de mim que não estavam bem, das quais queria me livrar. O problema é que eu ainda me odiava.

Parece inacreditável que uma pessoa possa freqüentar grupos de terapia durante 11 anos, encontros de grupos de recuperação de viciados, fazer tratamentos para dependência, consultar hipnotizadores e acupunturistas, tentar a experiência de renascimento, participar de grupos de transformação, retiros budistas e sufistas, ler centenas de livros, assistir a fitas de visualização e meditação e ainda detestar uma parte do que ela é. Apesar de gastar um tempo enorme e aquela elevada quantia de dinheiro, percebi que eu tinha muito trabalho pela frente.

Finalmente, tive um estalo. Eu estava em um seminário intensivo de liderança conduzido por uma mulher chamada Jan Smith. A certa altura, eu estava falando em pé, diante de um grupo, quando de repente Jan olhou para mim e disse: "Você é mandona". Meu coração afundou. Como ela sabia? Eu tinha consciência de que era assim, mas estava tentando desesperadamente me livrar dessa parte do meu ser. Havia me empenhado bastante para ser doce e generosa a fim de compensar esse horrível traço de caráter. Então, sem emoção, Jan me perguntou por que eu odiava essa parte de mim mesma. Sentindo-me pequena e idiota, disse-lhe que era a parte que me causava mais vergonha, que o fato de ser mandona só me causara outros sofrimentos. Jan, então, afirmou: "O que você não assume toma conta de você".

Eu conseguia perceber como estava dominada pela idéia de ser mandona, preocupava-me o tempo todo com essa faceta do meu caráter, mas ainda não queria assumir isso. "O que há de bom em ser mandona?", ela me perguntou. Tanto quanto eu podia perceber, não havia nada de bom nisso. Mas ela disse, então: "Se você estivesse construindo uma casa, os empreiteiros houvessem estourado o orçamento e a obra apresentasse um atraso de três semanas, você acha que ajudaria ser um pouquinho mandona?" Evidentemente, eu concordei. "Quando você precisa devolver mercadorias em seu trabalho, ajuda ser durona, às vezes?" Mais uma vez, concordei. Jan me perguntou se eu conseguira perceber que, às vezes, ser mandona não só é útil, mas é uma grande qualidade com a qual podemos contar em determinadas situações. De repente, essa parte de mim mesma – que eu tentara desesperadamente esconder, negar e suprimir – ficou liberada. Todo o meu corpo pareceu diferente. Era como se eu tivesse tirado um enorme peso de meus ombros. Jan havia captado esse aspecto da minha personalidade e me mostrara que isso era um talento, e não algo de que eu devesse me envergonhar. Se eu permitisse que essa parte existisse, não precisaria mais representar. Seria capaz de usá-la, em vez de ser usada por ela.

Depois desse dia, minha vida nunca mais foi a mesma. Mais uma peça do quebra-cabeça da recuperação havia se encaixado. "Aquilo a que você resiste, persiste." Eu escutara isso tantas vezes, mas jamais entendera por completo a profundidade dessa afirmação. Ao resistir à "mandona" que existia em mim, eu mantivera isso trancado. No momento em que aceitei essa condição e a vi como um dom, afrouxei minha resistência, e isso deixou de ser um problema e tornou-se uma parte saudável e natural do meu ser. Agora, não preciso ser mandona o tempo todo, mas, nas ocasiões apropriadas, como acontece às vezes no mundo em que vivemos, posso usar essa qualidade para me proteger.

Esse processo me pareceu milagroso, por isso fiz uma lista de todas as partes de mim mesma das quais não gostava e trabalhei para descobrir o lado bom delas. Tão logo fui capaz de perceber os valores positivos e negativos de cada aspecto meu, consegui diminuir minhas resistências e deixar que essas partes existissem livremente. Ficou evidente que esse processo não se destina a nos livrar de coisas das quais não gostamos em nós mesmos, mas a fazer-nos descobrir o lado positivo desses aspectos e integrá-los em nossa vida.

Este livro é um guia para a sua jornada. Ele contém as idéias essenciais de um curso que desenvolvi ao longo dos anos para ajudar você a revelar sua sombra, apossar-se dela e assumi-la. Começarei definindo a sombra detalhadamente e explorando sua natureza e seus efeitos. Examinarei, então, o fenômeno essencial da sombra, a projeção, que é a forma de negarmos partes essenciais de nós mesmos quando as rejeitamos. Depois de considerar um novo modelo para compreender nossa vida interior e exterior – o modelo holográfico do Universo –, podemos começar a agir, aplicando o que aprendemos para revelar as faces ocultas do nosso lado sombrio. Empreenderemos em seguida a tarefa de nos apossar das qualidades da nossa sombra, responsabilizando-nos por elas, aprendendo quais são os instrumentos específicos para incorporar a sombra e descobrir os talentos dela e como é possível recuperar o poder sobre partes nossas que entregamos a outros. Finalmente, exploraremos os caminhos que nos dão condições de nos amarmos e nos nutrirmos e os instrumentos práticos que nos permitem manifestar nossos sonhos e criar uma vida que mereça ser vivida.

Muita gente perde muito tempo em busca da luz e acaba encontrando mais escuridão. "Uma pessoa não se torna iluminada ao imaginar figuras de luz", disse Jung, "mas ao tomar consciência da escuridão." *O Lado Sombrio dos Buscadores da Luz* vai guiá-lo em seu caminho para revelar sua sombra, para apropriar-se dela e para assumi-la. Ele lhe proporcionará o conhecimento e os instrumentos para trazer à luz aquilo que jaz dentro de você. Vai ajudá-lo a recuperar o seu potencial, a sua criatividade, o seu brilhantismo e os seus sonhos. Vai abrir seu coração para você e para os outros, além de alterar para sempre o seu relacionamento com o mundo.

2

Em Busca da Sombra

A sombra se apresenta com muitas faces: aterrorizada, ambiciosa, zangada, vingativa, maligna, egoísta, manipulativa, preguiçosa, controladora, hostil, feia, subserviente, vulgar, fraca, crítica, censora... A lista é interminável. Nosso lado sombrio age como um depósito para todos esses aspectos inaceitáveis do nosso ser – todas as coisas que pretendemos não ser e todos os aspectos que nos causam embaraços. Essas são as faces que não queremos mostrar ao mundo nem a nós mesmos.

Tudo o que odiamos, a que resistimos ou que rejeitamos no nosso ser assume vida própria, sem levar em conta o que sentimos como sendo nossos valores. Quando nos encontramos face a face com nosso lado sombrio, nossa primeira reação é fugir, e a segunda é negociar com ele para que nos deixe em paz. Muitas pessoas já perderam tempo e gastaram dinheiro justamente para fazer isso. Ironicamente, são os aspectos escondidos que rejeitamos os que mais necessitam de atenção. Ao trancar as partes das quais não gostamos, sem saber estamos encerrando nossos mais valiosos tesouros. Esses valores estão ocultos onde menos esperaríamos encontrá-los. Estão ocultos na escuridão.

Esses tesouros tentam emergir desesperadamente e chamar nossa atenção, mas estamos condicionados a recalcá-los. Como bolas gigantes mantidas debaixo d'água, esses aspectos irrompem à superfície toda vez que aliviamos a pressão. Ao tomar a decisão de não deixar que algumas partes de nós mesmos existam, somos obrigados a gastar enormes quantidades de energia para mantê-las submersas.

O poeta e escritor Robert Bly descreve a sombra como uma mochila invisível que cada um de nós carrega às costas. À medida que crescemos, vamos guardando na mochila todas as nossas características que não são aceitas pela família e pelos amigos. Bly acredita que passamos as primeiras décadas de vida enchendo a mochila e que gastamos o resto da vida tentando recuperar o que pusemos na mochila para aliviar o fardo.

A maioria das pessoas têm medo de encarar e assumir o seu lado sombrio, mas é lá na escuridão que você encontrará a felicidade e a sensação de estar completo com que vem sonhando há tanto tempo. Quando você usa o seu tempo para se descobrir por inteiro, abre as portas do verdadeiro esclarecimento. Uma das maiores armadilhas da Era da Informação é a síndrome do "já conheço isso". Com freqüência, o conhecimento nos impede de viver a experiência em nosso coração. O trabalho com a sombra não é intelectual; é uma viagem da mente ao coração. Diversas pessoas que trilham o caminho do aperfeiçoamento individual acreditam que completaram o processo, mas são incapazes de enxergar a verdade sobre si mesmas. Muitos de nós almejam ver a luz e viver na beleza do seu eu mais elevado, mas tentamos fazer isso sem integrar todo o nosso ser. Não podemos ter a experiência completa da luz sem conhecer a escuridão. O lado sombrio é o porteiro que abre as portas para a verdadeira liberdade. Todos devem estar atentos para explorar e expor continuamente esse aspecto do ser. Quer você goste ou não, sendo humano, você tem uma sombra. Se não consegue vê-la, pergunte a alguém da família ou às pessoas com quem trabalha. Eles vão indicá-la para você. Pensamos que nossas máscaras mantêm nosso eu interior escondido, mas, todas as vezes que nos recusamos a reconhecer aspectos nossos e quando menos esperamos, ele dá um jeito de erguer a cabeça e fazer-se conhecido.

Assumir um aspecto de si mesmo significa amá-lo – permitir que ele conviva com todos os outros aspectos, não o considerando nem mais nem menos do que qualquer um dos outros. Não basta dizer: "Sei que sou controladora". É necessário perceber o que a controladora tem a nos ensinar, quais os benefícios que traz, e então devemos ser capazes de vê-la com respeito e compaixão.

Vivemos sob a impressão de que para algo ser divino tem de ser perfeito. Estamos errados; na verdade, o correto é o oposto. Ser divino é ser inteiro, e ser inteiro é ser tudo: o positivo e o negativo, o bom e o mau, o santo e o diabo. Quando destinarmos um tempo para descobrir nossa sombra e seus talentos, compreenderemos o que Jung queria dizer com: "O ouro está na escuridão". Cada um de nós precisa achar esse ouro para juntar ao seu eu sagrado.

Na minha infância, diziam-me que existem duas espécies de pessoas: as boas e as ruins. Como muitas crianças, trabalhei para exibir minhas boas qualidades e me esforcei para esconder as más. Queria desesperadamente me livrar de todas as partes do meu ser que eram inaceitáveis para minha mãe, meu pai, minha irmã e meu irmão. Quando eu já estava um pouco mais velha, outras pessoas entraram em minha vida com todas as suas opiniões, e percebi que teria de esconder ainda mais coisas que faziam parte de mim mesma.

À noite, eu costumava ficar acordada tentando imaginar por que eu era uma garota tão ruim. Como era possível que eu houvesse sido amaldiçoada com tantos defeitos? Preocupava-me com minha irmã e meu irmão, que também tinham muitas deficiências a superar – no momento em que qualquer um de nós mostrasse a menor falha, estaríamos em apuros. Diziam-me que as pessoas que estavam na cadeia haviam ido para lá porque tinham defeitos que os puseram em dificuldades. Eu queria me assegurar de que não acabaria olhando minha família e meus amigos por trás das grades. Logo imaginei que a melhor forma para ser aceita era esconder meus aspectos indesejáveis, o que às vezes significava ser obrigada a mentir. Meu sonho era ser perfeita para que eu fosse amada. Assim, quando não escovava os dentes, eu mentia; quando comia além da parte que me cabia dos biscoitos, eu mentia; e quando batia em minha irmã, eu mentia. Assim, aos 3 ou 4 anos de idade, eu já não percebia que mentia, porque estava mentindo para mim mesma.

Diziam-me: não seja brava, não seja egoísta, não seja mesquinha, não seja gulosa. *Não seja* foi a mensagem que guardei dentro de mim. Comecei a acreditar que era má porque às vezes eu era mesquinha ou ficava brava ou, então, queria todas as bolachas. Achava que, para sobreviver em minha família e neste mundo, eu teria de me livrar desses impulsos. Foi isso que eu fiz. Aos poucos, eu os expulsei para lugares tão remotos da minha mente que me esqueci completamente de que eles estavam lá.

Essas "más qualidades" tornaram-se minha sombra. E, quanto mais velha eu ficava, mais para trás eu as empurrava. Quando cheguei à adolescência, tinha reprimido tanto de mim mesma que me tornara uma bomba-relógio ambulante esperando para explodir em cima de qualquer um que cruzasse meu caminho. Juntamente com as minhas chamadas "más qualidades", eu também sufocara seus opostos positivos. Nunca pude viver o meu eu bonito, porque perdi muito tempo tentando esconder minha fealdade. Jamais me senti boa em relação à minha generosidade, porque era apenas uma máscara para encobrir minha mesquinhez. Mentia sobre quem eu era, e mentia a mim mesma sobre o que eu era capaz de realizar. Perdera o acesso a tudo o que eu era.

Como eu trabalhara com tanto afinco para me reprimir, não tinha paciência com os outros que estivessem expondo suas imperfeições. Tornei-me intolerante e crítica. Diante do meu julgamento, ninguém era bom o bastante, o mundo era um lugar terrível e todos estavam metidos em encrenca. Eu achava que o meu problema surgira porque eu nascera na família errada, tivera os amigos errados, meu rosto e meu corpo não eram o que deveriam ser, eu morava na cidade errada e freqüentava a escola errada. Eu acreditava, verdadeiramente, do fundo do coração, que essas circunstâncias externas eram a causa da minha solidão, da minha raiva e da minha insatisfação. Eu pensava: "Se eu, pelo menos, houvesse nascido rica como merecia, tivesse morado na Europa e freqüentado melhores escolas... Ou se, pelo menos, tivesse as roupas certas e uma polpuda conta bancária, meu mundo seria maravilhoso. Todos os meus problemas desapareceriam".

Eu caíra na armadilha tão conhecida do "se pelo menos". Se pelo menos isso fosse como aquilo, tudo estaria bem. Eu estaria bem. Essa ilusão não durou muito. Quando a fantasia se extinguiu, eu me deparei com meu pior pesadelo. Descobri que tudo o que eu era... era eu: uma mulher magricela, imperfeita, de classe média, zangada e egoísta. Levei 17 anos para chegar a um acordo a respeito de tudo o que eu sou. O lado brilhante e o belo, o falho e o imperfeito. E até hoje ainda há aspectos que precisam ser trabalhados.

A razão para trabalharmos a sombra é que só assim conseguiremos nos sentir inteiros, poremos um fim ao sofrimento e deixaremos de nos esconder de nós mesmos. Depois de fazer isso, podemos parar de nos esconder do resto do mundo. Nossa sociedade nutre a ilusão de que todas as recompensas vão para os que são perfeitos. Mas muitos estão percebendo que tentar ser perfeito é bastante custoso. As conseqüências de tentar se equiparar à "pessoa perfeita" podem nos destruir física, mental, emocional e espiritualmente. Tenho trabalhado com tantas pessoas boas que sofrem de males diversos... vícios, depressão, insônia e problemas em seus relacionamentos. Pessoas que nunca ficam bravas, jamais se colocam em primeiro lugar, nem mesmo rezam por si mesmas. Algumas partes de seus corpos estão tomadas pelo câncer e elas não sabem por quê. Enterrados em seus corpos, socados no fundo de suas mentes, estão todos os seus sonhos, sua raiva, sua tristeza e seus desejos. Elas foram criadas para se colocar por último, porque é o que fazem as pessoas de bem. A coisa mais difícil para elas é se libertar desse condicionamento e descobrir quem são, na verdade. Porque elas merecem amar a si mesmas, receber perdão e compaixão e também poder expressar sua raiva e seu egoísmo.

Dentro de nós mesmos, possuímos todas as características e seu pólo oposto, todas as emoções e impulsos. Temos de nos revelar, apropriar-nos do que somos e incorporar tudo isso: o bom e o mau, a escuridão e a luz, o forte e o fraco, o honesto e o desonesto. Se você pensa que é fraco, precisa ir em busca do seu oposto e descobrir sua força. Se você é dominado pelo medo, deve mergulhar e encontrar sua coragem. Se você é uma vítima, tem que encontrar o algoz dentro de si mesmo. É seu direito de nascença ser inteiro: ser por completo. Basta apenas uma mudança em sua percepção, uma abertura em seu coração. Quando você diz "eu sou isso" para o aspecto mais profundo, mais sombrio de você mesmo, então está apto a alcançar a verdadeira luz. Apenas quando aceitamos inteiramente a escuridão somos capazes de assumir a luz. Ouvi dizer que o trabalho da sombra é a trilha do guerreiro do coração. Ela nos leva para um lugar novo em nossa mente onde somos obrigados a abrir o coração para nosso eu completo e para toda a humanidade.

Num seminário recente, uma mulher se levantou chorando. Chamava-se Audrey e estava em desespero. Tinha pensamentos terríveis, ela admitiu, e estava envergonhada e embaraçada com a possibilidade de contá-los, porque então saberíamos como ela era má. Depois de uma longa conversa, ela finalmente confessou que odiava a filha. Ela estava tão inibida que eu mal conseguia ouvir o que ela dizia. Ela repetia baixinho, várias vezes seguidas, a frase: "Eu odeio a minha filha". Todos os presentes olhavam para ela, alguns com pena, outros com horror.

Trabalhei um pouco com Audrey, explicando que estava tudo bem, se o que ela estava sentindo era ódio. Ela precisava aceitar o ódio que sentia pela filha. Perguntei quantas pessoas naquela sala tinham filhos. Quase todos levantaram uma das mãos. Pedi-lhes que fechassem os olhos e tentassem se lembrar de uma ocasião em que poderiam ter sentido ódio de seus filhos. Todos descobriram que se lembravam de pelo menos uma vez em que isso tinha acontecido. Então fiz com que eles imaginassem que benefício eles haviam extraído do ódio. Alguns disseram sanidade; outros, amor; e outros disseram alívio e emoção. Todos perceberam que não tinham tido nenhum controle sobre a emoção propriamente dita. Mesmo quando não queriam sentir ódio, muitas vezes o sentiam.

Ao ver que não estava sozinha, Audrey sentiu-se em condições de permitir-se ter ódio, sem censura. Expliquei que todos nós precisamos do ódio para conhecer o amor, e que o ódio só tem poder quando é reprimido ou negado. Perguntei a Audrey o que aconteceria se ela assumisse seus sentimentos de ódio e esperasse para descobrir seus benefícios em vez de reprimi-los. Ela ainda parecia envergonhada, cabisbaixa, e então lhe contei uma história.

Certo dia, dois gêmeos saíram com o avô para dar um passeio ao ar livre. Caminharam entre as árvores até que chegaram a uma antiga cocheira. Quando os meninos e o avô entraram para explorar a cocheira, um dos garotos imediatamente começou a reclamar: "Vovô, vamos sair daqui. Esta cocheira velha está cheirando a esterco de cavalo". O menino permaneceu perto da porteira, furioso porque seus sapatos novos estavam sujos de esterco. Antes que o velho pudesse responder, viu seu outro neto correndo alegremente entre as baias da cocheira. "O que você está procurando?", perguntou ele ao segundo menino. "Por que está tão feliz?" O garoto olhou para cima e disse: "Com tanto esterco de cavalo, deve haver pelo menos um pônei por aqui".

Agora, a sala estava em silêncio. O rosto de Audrey parecia radiante. Ela começava a perceber o benefício da sua raiva – o pônei – nesse aspecto dela mesma. Essa mudança de percepção permitiu a liberação da energia negativa que ela carregara durante anos. Audrey percebeu que seus sentimentos de ódio eram um mecanismo de defesa, que protegia seus limites junto às pessoas que ela amava. Mesmo tendo lhe causado uma dor muito grande, esse ódio também fora o catalisador da jornada espiritual e servira de impulso para que ela procurasse exteriorizar sua verdade interior.

Havia mais ouro para brotar. Duas semanas depois do curso, a filha de Audrey telefonou para ela. Como Audrey estava se sentindo bem em relação à filha, assumiu o risco e lhe contou como se sentira naqueles últimos anos. Audrey explicou-lhe como havia assumido aquele ódio durante o curso, e, quando Audrey acabou de falar, a filha começou a chorar. Chorou copiosamente, liberando anos de dor e de vazio, e expressou toda a raiva que sentira pela mãe. Quando acabou, convidou a mãe para almoçar com ela. Sentadas em frente uma da outra, elas foram capazes de sentir a ligação especial que mãe e filha têm, e juraram solenemente que, dali em diante, iriam expressar toda e qualquer emoção para que nada mais as afastasse de novo.

Se Audrey não tivesse sido corajosa o suficiente para expressar seu ódio, a recuperação não teria sido possível. Tanto a mãe quanto a filha tinham tantas emoções reprimidas que bastava entrarem juntas num lugar para haver uma explosão. O ódio precisava ser expresso e assumido, só assim seu benefício seria revelado. O dom do ódio de Audrey era o amor, que deu a ela um relacionamento novo, belo e honesto com a filha.

Todos os aspectos do nosso ser têm um lado benéfico. Todas as emoções e características que possuímos nos mostram o caminho do esclarecimento, da unicidade. Todos nós temos uma sombra que é parte da nossa realidade total, e essa sombra está presente para nos indicar em que ponto estamos incompletos. Ela nos ensina a ter amor, compaixão e perdão, não somente pelos outros mas por nós mesmos. E, quando incorporamos nossa sombra, ela pode nos curar. Não é apenas nossa renegada "escuridão" que encontra seu caminho nos recessos da nossa sombra. Há uma "sombra de luz", um lugar onde enterramos nosso potencial, nossa competência e nossa autenticidade. As partes sombrias da psique só são sombrias quando estão reprimidas e escondidas; quando as trazemos à luz da mente e encontramos seus talentos sagrados, elas nos transformam. E então ficamos livres.

Durante um dos meus cursos, percebi isso claramente numa mulher que vivia mascando chicletes, era brigona e do contra; ela parecia ter um "dane-se" invisível tatuado na testa. Pam questionava tudo, enquanto declarava firmemente que não tinha nenhum problema em aceitar seu lado sombrio. Ela tinha razão: a escuridão era a zona em que ela se sentia à vontade. Não se importava de ser chamada de estourada ou autoritária. Pam considerava essas palavras elogiosas. Quando eu disse a Pam que ela era um "docinho", ela olhou para mim com desgosto e total incredulidade. "Eu? Um docinho? Nunca!" Ela era totalmente incapaz de se ver como uma pessoa delicada, suave ou feminina. Deixei-a sozinha, confiando em que, no decorrer do fim de semana, eu mostraria o caminho a ela. No dia seguinte, sentindo-me segura o suficiente depois de um movimento catártico de meditação, pedi a algumas pessoas que ficassem no meio do grupo para que fossem abraçadas pelas restantes. Eu nunca havia feito isso antes, mas era evidente que Pam e algumas outras mantinham-se estagnadas, não evoluíam, e precisavam de amor. Quando pusemos os braços em volta de Pam, ela desabou, gemendo inconsolavelmente e chamando pela mãe. Por mais de uma hora, um grupo de dez pessoas ou mais ficou sentado consolando Pam, enquanto ela extravasava anos de dor, solidão e tristeza.

Embora parecesse que as lágrimas dela jamais acabariam, Pam rendeu-se, afinal, e nos permitiu amá-la incondicionalmente. Mais tarde, descobri que ela havia sido abandonada quando era criança e nunca se encontrara com sua mãe; não tinha nem mesmo uma foto sua do tempo de bebê. Na verdade, ela contratara um detetive particular, que tentara localizar sua mãe naqueles últimos anos. No último dia do curso, Pam estava assumindo e incorporando suas qualidades ternas e gentis. Todos se admiraram com a transformação dela. Exatamente uma semana depois, Pam teve notícias do detetive e recebeu sua primeira foto de quando era bebê. Duas semanas depois, ele localizou a mãe de Pam, e as duas conversaram pela primeira vez. Uma vez incorporada a sombra, ela pode ser curada. Quando está sã, ela se converte em amor.

Se o ouro se encontra na escuridão, muitos de nós o têm procurado no lugar errado. Como Deepak Chopra diz, com freqüência: "Dentro de cada ser humano há deuses e deusas em embrião, com um único desejo: eles querem nascer". Ansiamos por ver as sementes da nossa divindade florescer, mas esquecemos que toda semente necessita de solo fértil para crescer. Aquele lugar escuro, terroso e essencial dentro de nós é nossa sombra. É um campo que precisa ser aceito, amado e cultivado para que as flores do nosso ser desabrochem.

EXERCÍCIOS

Quando você fizer esses exercícios, é importante estar bem atento, porque as respostas estão todas dentro de você, mas é preciso fazer muito silêncio para poder ouvi-las. Reserve para si mesmo um bom espaço de tempo, certifique-se de que o telefone esteja desligado e renda-se totalmente ao processo. Recomendo que você reserve pelo menos uma hora para esses exercícios. Vista roupas que o deixem à vontade e sente-se no seu lugar preferido da casa. Se quiser, acenda algumas velas e coloque uma música suave para ajudar a criar uma atmosfera de sedução para si mesmo. Deixe à mão um diário e uma caneta ou um lápis com que você goste de escrever. Providencie um gravador e uma fita para registrar as próximas etapas, assim não precisará abrir os olhos para ler o que vem a seguir, quando estiver fazendo os exercícios.

Depois de tudo pronto, feche os olhos e respire cinco vezes, profunda e lentamente. Inspire contando até cinco, prenda o ar contando até cinco e, então, expire bem devagar pela boca. Use a respiração para relaxar o corpo inteiro. Concentre toda a atenção na respiração enquanto prossegue, já que esse é um dos melhores meios de acalmar a mente.

Agora, com os olhos fechados, imagine-se entrando num elevador e fechando a porta. Pressione um dos botões do elevador e desça sete andares. Imagine que está descendo fundo em sua consciência. Quando a porta se abre, você vê um magnífico jardim sagrado. Tente visualizar tudo o que se refere a ele. Observe as árvores, as flores, os pássaros. De que cor está o céu? Está claro, de um azul brilhante, ou rendilhado de nuvens? Sinta a temperatura e a brisa acariciando seu rosto. Como você está vestido? Está usando uma roupa de que gosta muito? Imagine-se com sua melhor aparência. Tire os sapatos e sinta o chão sob os pés. Tem grama ou é arenoso? Está seco ou úmido? Você vê um caminho revestido de pedra ou de mármore? Há cascatas ou estátuas? Você vê algum animal por aí? Permaneça pelo menos um minuto olhando em volta, em todas as direções, e observe o que mais existe no seu jardim.

Quando tiver terminado de criar o jardim, crie um lugar destinado à meditação, onde você possa ficar para encontrar todas as respostas que sempre procurou. Mantenha-se durante um minuto explorando o seu lugar interior sagrado e comprometa-se a visitá-lo com freqüência. Volte sua atenção para a respiração e inspire e expire de novo cinco vezes, lenta e profundamente. Conduza-se a um estado ainda mais profundo de relaxamento consciente.

Agora, faça a si mesmo a série de perguntas que vem a seguir, e vá com calma para que você possa ouvir sua voz interior. Depois de cada pergunta, abra os olhos por um momento e escreva as respostas no diário. A melhor maneira de fazer isso é escrever rápido e qualquer coisa que venha à mente. Não existem respostas certas ou erradas. Não se preocupe com o que estiver escrevendo, permita-se sentir e expressar qualquer coisa que precise emergir por esse processo. Quando tiver a resposta para a primeira pergunta, feche os olhos, volte ao seu jardim e sente-se no seu lugar de meditação. Respire mais duas vezes, lenta e profundamente, antes de se fazer a segunda pergunta, e assim por diante. Não tenha pressa.

1. Do que é que eu tenho mais medo?
2. Quais os aspectos da minha vida que precisam ser mudados?
3. O que pretendo conseguir ao ler este livro?
4. O que mais temo que alguém descubra sobre mim?
5. O que mais me atemoriza descobrir sobre mim mesmo?
6. Qual foi a maior mentira que já contei a mim mesmo?

7. Qual foi a maior mentira que eu já disse a outra pessoa?

8. O que pode me impedir de fazer o trabalho necessário para transformar minha vida?

Quando terminar esse exercício, leve o tempo necessário para escrever em seu diário e expressar no papel qualquer coisa a mais que precise vir à tona. Então, espere um momento para se conscientizar da coragem e do trabalho árduo com que você se empenhou nesse exercício e siga para o próximo capítulo.

3

O Mundo Está Dentro de Nós

"Não estamos no mundo, o mundo está dentro de nós." A primeira vez em que ouvi isso, fiquei confusa. Como pode o mundo estar dentro de mim? Como é possível que você, um outro ser humano, viva dentro de mim? Levei um bom tempo para entender que o que, de fato, está dentro de mim são milhares de qualidades e características que constituem cada ser humano e que, sob a superfície de cada pessoa, está o projeto de toda a humanidade. O modelo holográfico do Universo nos ensina que cada um é um microcosmo do macrocosmo. Cada um de nós detém o conhecimento do Universo inteiro. Se você cortar o holograma do seu cartão de crédito em pedacinhos e focalizar um feixe de *laser* em um deles, verá a figura completa. Da mesma forma, se examinar um ser humano, você encontrará o holograma do Universo. Esse projeto universal vive em nosso DNA.

O dr. David Simon, médico, diretor do Chopra Center for Well Being e autor de *The Wisdom of Healing*, dá a seguinte explicação para isso: "Um holograma é uma imagem tridimensional derivada de um filme bidimensional. A única característica do holograma é que a figura completa tridimensional pode ser criada de qualquer parte do filme. O todo está contido em cada pedaço; por isso é chamado de 'holograma'. Da mesma forma, cada aspecto do Universo está contido em cada um de nós. As forças que abrangem a matéria por todo o cosmo se encontram em cada átomo do corpo. Cada cordão do meu DNA carrega a história completa da evolução da vida. Minha mente contém o potencial de todo pensamento que tenha sido ou venha a ser expresso. Compreender essa realidade é a chave para a porta da vida – a entrada para a liberdade sem limites. Viver essa realidade é a base da verdadeira sabedoria".

Ao compreender que você tem tudo o que vê nos outros, seu mundo todo se altera. Nosso objetivo neste livro é mostrar que podemos encontrar e incorporar tudo o que amamos e tudo aquilo que odiamos nos outros. Ao recuperar nossas características perdidas, abrimos a porta do Universo interior. Quando fazemos as pazes com nós mesmos, espontaneamente fazemos as pazes com o mundo.

Uma vez aceito o fato de que cada um de nós personifica todas as características do Universo, podemos acabar com o pretexto de que nós *não* somos tudo. A maioria das pessoas aprendeu que é diferente das outras. Algumas se consideram superiores, e muitas se acham incapazes. Nossa vida é moldada por esses julgamentos. São eles que nos levam a dizer: "Eu não sou igual a você". Se você é educado como branco, precisa acreditar que é diferente dos negros. Se cresce como negro, deve achar que é diferente dos asiáticos ou dos hispânicos. Os judeus crêem-se diferentes dos católicos, enquanto os conservadores se consideram diferentes dos liberais. Cada uma de nossas culturas nos ensinou a acreditar que somos fundamentalmente diferentes dos demais. Acabamos por adotar preconceitos existentes em nossa família e entre os amigos. "Você é diferente porque é gordo e eu sou magro. Sou inteligente e você é burro. Sou tímido e você é expansivo. Sou paciente e você é agressivo. Falo alto e você fala mansamente." Essas crenças mantêm a ilusão de que estamos separados. Criam tanto barreiras internas quanto externas, que nos impedem de assumir por inteiro nosso ser e que nos mantêm apontando o dedo acusadoramente para os outros.

A chave é tomar consciência de que não há nada que possamos ver ou perceber que também não faça parte de nós. Se não possuíssemos determinada característica, não a poderíamos reconhecer num outro. Se você for levado pela coragem do outro, isso não passa do reflexo da coragem que existe em você. Quando considera alguém egoísta, pode ter certeza de que você é capaz de demonstrar o mesmo grau de egoísmo. Embora essas características não sejam expressas o tempo todo, cada um de nós tem a capacidade de atuar de acordo com qualquer uma delas. Fazendo parte do mundo holográfico, somos tudo o que vemos, tudo o que julgamos, tudo o que admiramos. Não importa a cor da pele, o peso ou a escolha religiosa, compartilhamos as mesmas qualidades universais. Todas as pessoas são iguais em sua essência.

O renomado médico ayurvédico, dr. Vasant Lad, diz: "Em cada gota está o oceano, e em cada célula está a inteligência de todo o corpo". Quando conseguimos alcançar a grandeza desse fato, começamos a perceber a imensidade de quem somos. Homens e mulheres foram criados da mesma forma, assim partilham todas as qualidades humanas. Todos nós temos poder, força, criatividade e compaixão. Como também ganância, luxúria, raiva e fraqueza. Não há característica, qualidade ou aspecto que não possuamos. Estamos plenos de luz divina, amor e talento, e igualmente cheios de egoísmo, reserva e hostilidade. Estamos destinados a conter o mundo inteiro dentro de nós; parte da tarefa de ser totalmente humano é encontrar amor e piedade para cada aspecto de nós mesmos. Da mesma forma que a mente humana, tal é a mente cósmica. A maioria das pessoas vive com uma visão estreita do que é ser humano. Quando deixamos que nossa condição humana incorpore nossa universalidade, podemos nos tornar facilmente aquilo que queremos ser.

Em *Love and Awakening*, John Welwood emprega a analogia do castelo para ilustrar o mundo dentro de nós. Imagine um castelo magnífico, com corredores intermináveis e milhares de aposentos. Cada cômodo do castelo é perfeito e tem um dom especial. Cada aposento representa um diferente aspecto de você mesmo e é uma parte completa do castelo inteiro e perfeito. Como uma criança, você explorou cada centímetro do seu castelo, sem vergonha ou espírito crítico. Sem medo, procurou as preciosidades e os segredos de cada cômodo. Amorosamente, você assumiu cada aposento, fosse ele um banheiro, um quarto ou uma adega. Cada um e todos os cômodos eram únicos. Seu castelo estava cheio de luz, amor e maravilhas. Então, um dia, alguém chegou lá e lhe disse que um dos aposentos era imperfeito, que com certeza não pertencia ao seu castelo. Sugeriu-lhe que, se quisesse ter um castelo perfeito, você deveria fechar aquele quarto e trancar a porta. Como desejava ser amado e aceito, você rapidamente fechou o quarto. À medida que o tempo foi passando, mais e mais gente foi até o seu castelo. Todos deram sua opinião sobre os aposentos, de quais gostavam e os que lhes desagradavam. E, aos poucos, você foi fechando uma porta depois da outra. Seus aposentos maravilhosos foram sendo trancados, ficaram fora do alcance da luz, mergulhados na escuridão. Um ciclo havia começado.

Desse momento em diante, você passou a fechar cada vez mais portas, pelas mais diversas razões. Fechou portas porque tinha medo ou porque achou que os quartos eram muito arrojados. Trancou as portas de outros por julgá-los muito conservadores. Outras portas foram fechadas porque alguns castelos que você visitou não tinham cômodos como aqueles. E outras, ainda, porque seu líder religioso lhe disse que você deveria manter distância de certos quartos. Você fechou toda porta que não se encaixasse nos padrões da sociedade ou em seu próprio ideal.

Acabou-se o tempo em que o seu castelo parecia não ter fim e o seu futuro se apresentava brilhante e cheio de emoções. Você já não cuidava mais de cada cômodo com o mesmo amor e admiração. Aposentos dos quais você se orgulhava, agora queria que desaparecessem. Você tentou imaginar formas de se livrar deles, mas eles faziam parte da estrutura do castelo. Chegou um momento em que você, tendo fechado a porta de todo e qualquer cômodo de que não gostasse, acabou por se esquecer completamente deles. No princípio, você não percebeu o que estava acontecendo; tinha-se tornado um hábito. Com tanta gente dando palpites tão diferentes sobre qual a aparência que um magnífico castelo deveria ter, tornara-se mais fácil dar atenção aos outros do que à sua voz interior: a única que amava seu castelo por inteiro. Na verdade, o fato de fechar aquelas portas começou a lhe dar segurança. Logo você se viu morando em poucos e apertados cômodos. Aprendera a fechar as portas para a vida e sentia-se à vontade fazendo isso. Muitos trancaram tantos aposentos que se esqueceram de que algum dia foram um castelo. Passaram a acreditar que eram apenas uma casa pequena, de dois quartos, necessitando de consertos.

Agora, imagine seu castelo como o lugar onde você abriga tudo o que você é, a parte boa e a má, e que todas as características que existem no planeta também estão em você. Um de seus cômodos é amor; outro é coragem; outro, elegância; e outro é graça. Há um número infinito de aposentos. Criatividade, feminilidade, honestidade, integridade, saúde, sensualidade, poder, timidez, ódio, ganância, frigidez, preguiça, arrogância, doença e maldade são aposentos do seu castelo. Cada um deles é uma parte essencial da estrutura, e cada aposento tem seu oposto em algum lugar do seu castelo. Felizmente, nunca ficamos satisfeitos sendo menos do que somos capazes de ser. Nosso descontentamento com nós mesmos nos motiva a ir em busca de todos os cômodos perdidos do castelo. Só conseguiremos achar a chave da nossa individualidade se abrirmos todos os aposentos do castelo.

O castelo é uma metáfora para ajudá-lo a perceber a enormidade do seu ser. Cada um possui esse lugar sagrado dentro de si mesmo. É de fácil acesso, se estivermos prontos e ansiosos por ver a nossa totalidade. A maioria das pessoas tem medo do que poderá encontrar por trás das portas desses quartos. Assim, em vez de partir numa aventura, para encontrar nosso eu escondido, cheio de emoção e maravilhas, conservamo-nos fingindo que os quartos não existem. O ciclo continua. Mas, se você quer de fato mudar o rumo da sua vida, terá de entrar em seu castelo e abrir vagarosamente todas as portas, uma a uma. Precisará explorar seu universo interior e recuperar tudo o que havia rejeitado. Só na presença do seu eu integral você poderá apreciar sua magnificência e gozar a totalidade e a singularidade da sua vida.

Quando comecei a buscar o mundo que havia dentro de mim, pensei que fosse uma tarefa impossível. Eu achava que o mundo era uma confusão, mas que eu não era. Pensei: *Não sou uma assassina. Não sou uma moradora de rua*. Na verdade, eu não queria descobrir que tinha *todas* as qualidades do mundo, já que, a meu ver, eu não era como as pessoas que eu criticava ou que agiam mal. Porém, minha meta passara a ser verificar como o mundo podia existir dentro de mim. Todas as vezes que eu via coisas ou indivíduos que me desagradavam, dizia a mim mesma: "Sou assim, eles vivem dentro de mim". Durante o primeiro mês, fiquei desapontada, porque na verdade não encontrava nenhuma das coisas "ruins" dentro de mim.

Até que um dia, quando eu estava lendo dentro de um trem, tudo mudou. Uma mulher no meu vagão berrava com o filho. Eu estava ocupada dizendo a mim mesma que jamais trataria um filho meu assim e como era terrível uma mulher repreender daquela forma o filho em público, quando uma vozinha dentro da minha cabeça sussurrou: "Se o seu filho tivesse espirrado leite achocolatado por toda a sua roupa de seda branca, você teria uma crise de nervos". De repente, as peças do quebra-cabeça se encaixaram. É claro que eu era capaz de ficar furiosa com uma criança. Não queria admitir isso para mim mesma; por esse motivo, quando via uma pessoa prestes a ter um ataque de raiva, eu a censurava em vez de me solidarizar com ela. Isso tirou o foco de mim mesma. Percebi que era a *qualidade* demonstrada por cada pessoa que estava dentro de mim, não a pessoa em si. Não sou a mulher furiosa do trem, mas certamente tenho a impaciência e a intolerância que ela revelou naquele momento.

O que descobri foi meu potencial para agir da mesma forma que as pessoas a quem eu mais asperamente censurava. Ficou evidente que eu precisava ficar atenta às características dos outros que mais me aborreciam. Comecei a reconhecê-las como aposentos que eu fechara. Eu tinha, sim, de saber que eu também podia gritar com meu filho se eu tivesse tido um mau dia. Olhei para um morador de rua e perguntei a mim mesma: "Se eu não tivesse família nem educação e perdesse o meu emprego, será que eu me tornaria uma moradora de rua?" A resposta era sim. Se eu alterasse as circunstâncias da minha vida, era fácil perceber que eu poderia ser qualquer outra pessoa e fazer qualquer outra coisa.

Tentei ser todos os tipos de pessoa: alegre, triste, brava, gananciosa e ciumenta. Gente gorda foi um alvo especial para mim. Meu pai sempre fora pesado, e ele estava incluído no meu preconceito.

Subitamente, ele me pareceu diferente. Eu nascera com ossos delicados e um metabolismo rápido. Percebi que, se meu metabolismo mudasse e eu continuasse a comer o tipo de alimento a que estava acostumada, eu também ficaria gorda. Mas ainda havia áreas em que eu tinha dificuldade. Não conseguia me imaginar sendo uma assassina ou um estuprador. Como poderia matar alguém a sangue-frio? Era fácil me imaginar matando alguém que houvesse tentado ferir a mim ou à minha família, mas... e quanto àqueles crimes brutais e sem sentido? Percebi que não tinha vontade de matar naquele momento; porém, se tivesse ficado encerrada num cubículo por 14 anos e tivesse sido espancada diariamente, será que eu não teria a capacidade de matar a sangue-frio? A resposta era sim. Isso não fez do assassinato um ato aceitável, mas me permitiu ver que eu admitia a possibilidade de ser qualquer pessoa.

Daquele dia em diante, quando eu tivesse dificuldade para ser qualquer coisa, eu poderia me desdobrar. Por exemplo, não conseguira ainda me imaginar como uma pedófila; assim, me perguntava que *espécie* de pessoa faria sexo com uma criança. Uma pessoa degenerada, terrível, pervertida. Perguntei a mim mesma: "Eu conseguiria ser uma pessoa degenerada, terrível, pervertida?" Eu procurava imaginar as piores circunstâncias que poderiam ter me acontecido quando era criança e concluí que, se eu tivesse sofrido maus-tratos e sido vítima de estupro quando ainda era uma menina e eu houvesse vivido sem amor, teria crescido de uma maneira diferente. Tendo passado por aquelas circunstâncias, não haveria como predizer o que eu seria ou não capaz de fazer. Não julgue um homem antes de calçar os sapatos dele. Mesmo assim, para mim era difícil assumir algumas dessas características. Eu precisava encarar a possibilidade de que um demônio morava dentro de mim. Às vezes, a questão não é se você tem um traço de caráter específico no momento, mas se pode chegar a apresentar essa característica sob diferentes circunstâncias.

Tentei me colocar no lugar de todo tipo de pessoa com quem não simpatizava ou que me causava repulsa. Algumas eram mais difíceis de aceitar, com outras eu levava mais tempo, mas foram muito poucas as que não consegui assumir dentro de mim. Com o passar do tempo, minha voz interior, que passara a vida julgando tudo e todos, silenciou. O silêncio da mente era algo com que eu sonhara durante toda a minha vida, e naquele instante eu sentia essa possibilidade surgir. Percebi que eu só julgava as pessoas quando elas demonstravam um tipo de qualidade que eu não podia aceitar em mim mesma. Se alguém se mostrava muito exibido, passei a não censurá-lo mais, porque já sabia que eu, também, gostava de me sobressair em público. Daí em diante, eu me permitiria ficar irritada e apontar acusadoramente para outra pessoa somente quando me convencesse por completo de que determinado comportamento era inaceitável para mim. Mantenha a mão estendida diante de você e aponte para alguém. Perceba que tem um dedo apontando para a outra pessoa e três apontando para trás, na sua direção. Isso serve para nos lembrar de que, quando estivermos culpando alguém, estamos apenas negando um aspecto de nós mesmos.

O processo de esconder e negar partes de mim mesma começou a ficar quase cômico à medida que percebi toda a energia que eu estava usando para *não ser* um certo tipo de pessoa. Se você não se enxergar como um microcosmo de todo o Universo, continuará a viver como um indivíduo isolado. Você olha para fora, em vez de procurar em seu interior as respostas e a direção a seguir, e faz julgamentos sobre o que é bom e o que é mau. Mantém a ilusão de que você e eu não estamos realmente ligados e permanece escondido atrás de uma máscara para se sentir seguro. Mas, se abranger a totalidade do Universo dentro de si mesmo, você vai incorporar a totalidade da raça humana.

Recentemente, fui ao Colorado para dirigir um seminário para um casal, Mike e Marilyn, e sua empresa de *marketing*. Quando cheguei à casa deles, saímos, levando os filhos deles, para um almoço rápido em que discutiríamos o trabalho de liberação emocional. Durante a refeição, tivemos uma conversa sobre um mundo maravilhoso onde todos reconheceriam que cada um de nós tem um projeto de todo o Universo dentro de si. Mike e Marilyn já estavam familiarizados com a teoria holográfica e se sentiam entusiasmados. No entanto, quando voltamos para o carro, depois do almoço, Mike virou-se para mim e disse: "Mas há algumas coisas que sei que não sou". Não me surpreendi; isso acontece com freqüência logo depois que uma pessoa concorda com a idéia de que é tudo. Aconteceu comigo também. Assim, perguntei a Mike: "O que você não é?" Mike respondeu: "Não sou um idiota". Olhei para o espelho retrovisor, por onde Mike olhava diretamente para mim, e lhe disse: "Se você é tudo, também é um idiota". Fez-se um silêncio mortal no carro. A mulher de Mike e as crianças olhavam para mim, atônitas. Eu tinha dito a Mike que ele era um idiota. Então ele começou a me falar sobre todos os idiotas que conhecia, explicando que não era parecido com nenhum deles. A carga emocional que acompanhava suas palavras era tão grande, enquanto ele descrevia as pessoas, que percebi que essa era uma questão muito problemática para ele.

Continuamos o percurso enquanto Mike esgotava seu repertório sobre idiotas. Por fim, perguntei a ele: "Você alguma vez já fez qualquer coisa que um idiota faria?" Ele pensou na minha pergunta e rapidamente disse que sim, mas acrescentou que não seria possível comparar o que ele havia feito com o que os idiotas que ele conhecia costumavam fazer. Esses outros eram realmente grandes idiotas. Eu lhe disse que a psique não consegue distinguir entre pequenos e grandes idiotas – um idiota é um idiota. Como a palavra "idiota" tinha tanto peso para ele, perguntei a Mike se ele achava que isso poderia ser um sinal para lhe mostrar alguma coisa. Não preciso dizer que foi um longo passeio.

Pedi a Mike que pelo menos considerasse a minha opinião de que ser idiota era um aspecto dele que ele havia rejeitado em determinado momento e que, agora, tinha uma oportunidade de recuperar. Como ele podia ser tudo, menos um idiota? E, de qualquer forma, o que havia de errado em ser um idiota? Perguntei à mulher dele e aos filhos se algum deles se importaria se eu os chamasse de idiota. Ninguém mais revelou ter problemas com a palavra. Perguntei se eles haviam tido experiências desagradáveis com idiotas. Ninguém teve.

Ao chegar em casa, nós nos agasalhamos para sair do carro. Estava dezoito graus abaixo de zero, e eu nunca estivera num lugar de clima tão frio. Assim, eu fiquei lá, aturdida, tremendo, esperando que a porta da frente fosse aberta. Mike levou alguns minutos remexendo nos bolsos e, então, começou a procurar às apalpadelas pelo interior do carro. Finalmente, ele olhou para nós e disse: "Quando saímos, acho que fechei a porta deixando as chaves dentro de casa". Depois de um momento de silêncio, perguntei: "Que tipo de gente se trancaria fora de casa à temperatura de dezoito graus abaixo de zero?" Todos responderam ao mesmo tempo: "Um idiota!" Mike riu, e Marilyn acabou encontrando sua chave; assim, pudemos entrar na casa. Mais uma vez, o Universo ajudou-me no meu trabalho.

Depois de ter conseguido me esquentar, sentei-me com Mike para tentarmos identificar o momento em que ele havia decidido não ser um idiota. Ele se lembrava de ter feito alguma coisa boba quando era criança e de os outros terem rido disso. Naquele momento, jurou a si mesmo que isso nunca mais aconteceria. Ele fechou um cômodo do seu castelo porque achou que era ruim. Como Gunther Bernard disse, com tanta propriedade: "Nós escolhemos esquecer quem somos e depois esquecer que esquecemos".

Alguns aspectos nossos que escondemos de nós mesmos, como é o caso de Mike, que recusava seu lado idiota, têm um poder de influência particular na nossa realidade presente. Têm vida própria e estão sempre tentando chamar nossa atenção para serem aceitos e integrados ao nosso eu. Inconscientemente, Mike procurou se rodear de idiotas, para dessa forma poder viver essa parte de si mesmo que renegara. Mike não conseguia ser tolerante com seus próprios erros, por isso via as pessoas que erravam como idiotas. Odiando esse seu aspecto, ele odiava todos os que tivessem essa falha. Isso influenciava a maneira como ele tratava os colegas no trabalho. Os empregados o consideravam uma pessoa difícil e, às vezes, irracional.

Sugeri a Mike que esse aspecto que ele rejeitava em si mesmo, chamado por ele de "idiota", tinha seus benefícios. Pedi-lhe para fechar os olhos e me dizer a primeira palavra que lhe viesse à mente quando eu lhe perguntasse qual era o benefício correspondente a idiotice. Ele respondeu: "Determinação". Como Mike não queria ser considerado um idiota, ele havia se esforçado muito na escola e se tornara um bom estudante. Fora para a faculdade e chegara ao mestrado, tornando-se finalmente um contador. Ele trabalhara muito para atingir o topo de sua carreira e se mantinha a par das notícias locais e mundiais, como se espera de toda pessoa educada. Mike estava meio chocado com o que dissera. Perguntei-lhe se, já que o aspecto "idiota" tinha dado a ele toda a determinação para chegar aonde chegara na vida, ele não gostaria de perdoar e assumir essa faceta de si mesmo. Hesitando um pouco, ele disse que sim, embora precisasse de um pouco de tempo para digerir nossa conversa.

No dia seguinte, Mike parecia mais jovem e mais animado. Não tinha certeza ainda de que assumir e amar esse aspecto que ele chamara de "idiota" seria a melhor coisa a fazer, já que levara quase quarenta anos negando isso. Mas, depois de uma longa conversa, ele percebeu que, por não ter assumido essa parte de si mesmo, atraíra para sua vida muitas pessoas que realmente agiam como idiotas. Expliquei-lhe que isso é uma lei espiritual – que o Universo sempre nos guia de volta para incorporarmos a totalidade de nós mesmos. Atraímos todos aqueles e tudo aquilo de que precisamos para espelhar os aspectos que nos pertencem e dos quais nos esquecemos.

Cada aspecto de nós precisa de compreensão e piedade. Se não estivermos dispostos a nos conceder esses sentimentos, como podemos esperar que o mundo se comporte de maneira diferente? Assim como nós somos, também é o Universo. O amor que cada um dedica a si próprio precisa mergulhar em cada nível do nosso ser e nutri-lo. Há aqueles que amam seu eu interior mas são incapazes de olhar num espelho por mais de um minuto para verificar a própria aparência. Outros gastam tempo e dinheiro com seu exterior e acabam odiando o que fica por dentro. Chegou a hora de trazer todo o seu ser para a luz, só assim você poderá escolher conscientemente a mudança de cada área de sua vida interior e exterior. Esse é o momento para você se tornar seu próprio ídolo. Cada parte do seu ser tem alguma coisa para lhe dar. Ao se amar e se assumir integralmente, você será capaz de amar e de assumir verdadeiramente a todos nós.

EXERCÍCIOS

Antes de mais nada, remova do ambiente tudo aquilo que possa distraí-lo. Você vai precisar do seu diário, lápis e caneta. Se quiser, ponha uma música suave para ajudar a relaxar. Agora, feche os olhos e respire uma vez, lenta e profundamente. Use a respiração para acalmar a mente e entregar-se ao exercício. Respire mais cinco vezes, vagarosa e profundamente.

Ao Encontro do Seu Eu Sagrado

Imagine novamente um elevador dentro de você. Entre nele e desça sete andares. Quando você sair do elevador, verá um belíssimo jardim. Ande por ele e observe as flores e as árvores à sua volta. Olhe para as folhas verdes e viçosas, sinta a fragrância das flores. O dia está lindo e os pássaros estão cantando. Observe a cor do céu. Lembre-se de como você se sente seguro e à vontade em seu jardim. Espere um pouco e respire de novo, profundamente, inalando a beleza do seu jardim sagrado. Procure um lugar calmo para se sentar e improvise um assento confortável para fazer meditação; o lugar onde você se sentir melhor. Certifique-se de que as roupas que você está usando são de um tecido cujo toque se assemelha a carícias em seu corpo e que o faz sentir-se desejável e magnífico. Sente-se, então, e feche os olhos. Num instante um aspecto seu vai aflorar à consciência. Esse aspecto será você em sua melhor forma. Será você em sua totalidade, cheio de amor e piedade, com força e poder. Esse aspecto é o seu eu sagrado. Convide esse ser magnífico a penetrar completamente na sua consciência. Visualize a si mesmo, concentrado e completo, revelando o seu mais alto potencial, sentindo a paz e o silêncio.

Agora peça a seu eu sagrado que se sente próximo a você. Pegue na mão dele e olhe-o bem dentro dos olhos. Pergunte-lhe se ele estará lá para guiá-lo e protegê-lo durante a semana. Pergunte-lhe, então, o que você precisa fazer para abrir seu coração e deixar sair qualquer resíduo emocional, antigo e nocivo, que você esteja carregando. Agora, abrace esse seu aspecto sagrado, agradeça-lhe por ter vindo vê-lo e prometa-lhe que voltará, com freqüência, a visitá-lo e ao seu jardim.

Abra os olhos e registre no diário a sua experiência. O que viu, qual era a aparência do jardim, como você estava e como se sentiu. Com que se parecia seu eu sagrado? O que ele tinha a dizer? Vá devagar. Quanto mais você escrever, mais sabedoria se expressará por seu intermédio. Pegue uma folha de papel e desenhe a figura do seu eu sagrado. Não se preocupe com a aparência do desenho; você não está participando de nenhum concurso. Fique pelo menos cinco minutos desenhando.

O Encontro Com a Sua Sombra

Feche os olhos e respire cinco vezes, devagar e profundamente. Quando estiver na quinta inspiração, retenha o fôlego tanto tempo quanto for confortável para você, e então solte o ar bem devagar. Use a respiração para acalmar a mente e mergulhe fundo na sua consciência. Imagine-se no elevador e desça sete andares. Quando abrir a porta, você estará num lugar muito escuro e lúgubre. Imagine as piores circunstâncias possíveis. Observe os cheiros, a poluição, o lixo por toda parte. Você pode estar numa caverna cheia de ratos, cobras, baratas e aranhas. Invoque um lugar a que você jamais desejou ir. Quando tiver criado esse lugar, continue a respirar, lenta e profundamente, e então examine num canto a forma mais desprezível do seu ser. Deixe que uma imagem sua nas piores condições apareça na sua mente. Tente sentir e perceber tudo a seu respeito: com o que você se parece, qual é o seu cheiro, como se sente. Agora deixe vir à sua mente uma palavra que descreva a pessoa que você está vendo. Depois de passar com essa pessoa um período de tempo suficiente para poder conhecê-la, abra os olhos. Escreva a palavra que surgiu na sua mente e tudo o que você sentiu durante a visualização. Fique escrevendo por, pelo menos, dez minutos. Deixe que sua consciência expresse todo e qualquer pensamento ou sentimento que tenha surgido em relação a essa experiência.

O Eu Sagrado Abraça o Eu Sombra

Feche os olhos e volte ao seu jardim sagrado. Crie um ambiente seguro, consagrado, para fazer seus exercícios. Use de novo a respiração para acalmar a mente e mergulhar profundamente na sua consciência. Tome seu elevador interior para descer os sete andares e chegar no seu jardim. Caminhe por ele, admirando sua beleza. Quando sentir a confortadora presença que o cerca, procure um lugar para fazer sua meditação. Assim que estiver confortavelmente instalado e se sentir seguro, projete a imagem do seu eu sagrado. Imagine que está se aquecendo em toda a sua luz. Quando a imagem estiver pronta, invoque o aspecto escuro e sombrio do seu eu. Peça ao seu lado sagrado para abraçar a sombra do seu eu. Deixe que a parte amorosa e bela segure em seus braços a outra parte assustadora, escura e desagradável. Diga a esse aspecto sombrio de você mesmo que ele está em segurança e que você vai passar um tempo trabalhando para compreendê-lo e aprender a amá-lo. Leve tanto tempo quanto necessitar, e não fique desapontado se sua sombra não deixar que você a abrace. Prossiga e tente todos os dias, até que ela o permita. Freqüentemente, nossa resistência surge na visualização; assim, depois de dez minutos ou mais, despeça-se de seus dois aspectos e volte ao seu quarto.

Pegue a folha de papel e alguns lápis e desenhe sua experiência. Permaneça fazendo isso por cerca de cinco minutos. Quando acabar, escreva em seu diário sobre a meditação e a experiência com os desenhos durante, pelo menos, dez minutos.

4

A Recuperação de Nós Mesmos

A projeção é um fenômeno fascinante que a grande maioria das escolas deixa de ensinar aos estudantes. É uma transferência involuntária do nosso próprio comportamento para outras pessoas, dando-nos a impressão de que determinadas características estão presentes nos outros. Quando sofremos de ansiedade no que diz respeito às nossas emoções ou a partes inaceitáveis da nossa personalidade, atribuímos esses aspectos – como um mecanismo de defesa – a objetos exteriores a nós ou a outras pessoas. Quando somos intolerantes com as outras pessoas, por exemplo, estamos inclinados a atribuir o nosso sentimento de inferioridade a elas. Evidentemente, há sempre um "gancho" que favorece nossa projeção. Alguma qualidade *imperfeita* em outra pessoa ativa uma parte de nós mesmos que quer nossa atenção. Dessa forma, tudo o que não assumimos em relação a nós mesmos projetamos em outras pessoas.

Só percebemos aquilo que somos. Gosto de pensar nisso em termos de energia. Imagine que existam cem diferentes tomadas de luz em seu peito. Cada tomada representa uma qualidade diferente. As que nós conhecemos são envolvidas por uma chapa de proteção. Estão seguras: nenhuma eletricidade vai escapar dali. Mas as qualidades que não consideramos boas, que ainda não assumimos, têm uma carga. Assim, quando surgem outras pessoas que representam uma dessas qualidades, elas se conectam diretamente a nós. Por exemplo, se negarmos nossa raiva ou nos sentirmos mal com ela, atrairemos gente zangada para a nossa vida. Abafaremos nossos próprios sentimentos de raiva e criticaremos as pessoas que consideramos coléricas. Já que mentimos para nós mesmos sobre nossos sentimentos, o único meio de encontrá-los é vê-los nos outros. As outras pessoas refletem as emoções e os sentimentos que escondemos, o que nos permite reconhecê-los e recuperá-los.

Instintivamente, nós recuamos diante de nossas projeções negativas. É mais fácil examinar aquilo que nos atrai do que aquilo que nos causa aversão. Se fico aborrecido com sua arrogância, é porque não estou assumindo a minha própria. Isso também é arrogância, que agora estou demonstrando sem perceber, ou a arrogância que renego, a qual serei capaz de demonstrar no futuro. Se fico aborrecido com a arrogância, preciso examinar bem de perto todos os recantos da minha vida e me perguntar o seguinte: no passado, quando fui arrogante? Estou sendo arrogante neste momento? Pode acontecer que eu me comporte com arrogância no futuro? Com certeza eu estaria sendo arrogante se respondesse não a essas perguntas sem me examinar com cuidado ou sem perguntar a outras pessoas se alguma vez me viram agindo com arrogância. O ato de julgar alguém é arrogante; portanto, evidentemente, todos temos a capacidade de ser arrogantes. Se eu incorporar minha própria arrogância, não me aborrecerei com a dos outros. Vou percebê-la, mas ela não me afetará. A tomada da minha arrogância estará envolvida por uma chapa de proteção. Só quando você mente para si mesmo ou odeia alguma característica sua é que recebe uma carga emocional originada do comportamento de outra pessoa.

Quando comecei a coordenar seminários, fiquei petrificada. Permaneceria, todas as semanas, diante de um grupo e tentaria desesperadamente ser eu mesma. Com medo de que não gostassem de mim, trabalhei com afinco para ser autêntica. Os seminários que eu coordenava na época eram em Oakland, Califórnia, e, a cada três participantes, dois eram negros. Eu estava emocionada com a perspectiva de fazer parte de uma nova comunidade, e havia me comprometido a apoiar os participantes na busca para atingir seus objetivos. Quando comecei a apresentar meu terceiro seminário, uma mulher se levantou e, com agressividade na voz, começou a falar. Tão logo Arlene abriu a boca, sentimentos muito fortes começaram a brotar do fundo de mim mesma. Era muito difícil ouvir o que aquela mulher dizia, porque eu estava ocupada demais sentindo raiva. Pensei que, se tudo o que essa mulher pretendia era me criar dificuldades, ela deveria sentar-se e calar a boca. Não era comum eu me surpreender reagindo a um participante. Fui para casa, aborrecida, e tentei incorporar a mim mesma as características que vira naquela mulher – grosseria, raiva, agressividade e mesquinharia.

Durante as quatro semanas seguintes, todas as vezes em que eu coordenava uma sessão, Arlene se levantava, e seu tom variava entre condescendente e um pouco rude. Percebi que eu estava perdendo muito do meu tempo livre tentando imaginar por que essa mulher me aborrecia tanto. Nada do que eu fizesse me impedia de continuar julgando-a. Certo dia, sentindo-me derrotada, telefonei para uma mulher que também estava no seminário e com quem eu já trabalhara e lhe perguntei por que Arlene me detestava. Susan respondeu: "Debbie, não se preocupe com ela; ela não passa de uma racista". Desliguei o telefone, sentindo-me fraca e nauseada. Rapidamente, disse a mim mesma: "Não sou racista". Tratei de trazer à memória as lembranças de infância de amigos negros que fizeram parte da minha vida. Lembrei-me de lhes haver ensinado natação e de ter competido com eles. Pensei em meu pai e em como ele lutou pelos direitos civis; ele foi o primeiro advogado a ter um sócio negro na Flórida. Eu tinha certeza de que ele não era racista.

Naquela noite, deitada na cama e pensando sobre a próxima sessão do meu seminário, eu ainda ouvia as palavras de Susan: "Ela não passa de uma racista". Essas palavras não paravam de soar em meus ouvidos. Quando eu estava quase conseguindo dormir, ouvi uma voz dentro da minha cabeça perguntando: "O que você pensou da Arlene na primeira vez em que ela se levantou e criou dificuldades para você?" De repente, senti uma pressão no peito e tive medo do pior. O que eu me lembrei de ter pensado na hora foi: *Você, sua cadela preta idiota!* Essas palavras ressoaram pelo meu corpo. Pensei: *Não pode ser, não sou racista. Não poderia ter tido esse pensamento, nem sequer a intenção disso.* Meu coração disparou, com medo. Mas me sentei, sozinha, frente a frente com minha própria condição de racista. Essa era a minha sombra.

Chorei de vergonha durante horas, com a profunda sensação de que havia traído todos os meus amigos de Oakland que tinham me amado e confiado em mim. Não importava o que eu fizesse, continuava incapaz de aceitar: "Sou racista". Tudo em que eu acreditara sobre possuir todas as características voou pela janela. Passei horas em frente a um espelho dizendo: "Sou racista, sou racista", tentando aceitar essa parte de mim mesma, em busca de algum bem-estar.

Quanto mais eu repetia aquelas palavras, mais fácil aquilo ia se tornando. Sabendo que naquelas palavras havia um benefício correspondente, comecei a procurar por ele. Lembrei-me então de meu pai falando interminavelmente sobre direitos iguais e de como nenhum de nós podia se ausentar enquanto não entendêssemos que éramos todos iguais. Essa paixão do meu pai se tornou a minha própria paixão. Percebi que o fato de não querer ser racista fizera com que eu me esforçasse para fazer muitas amizades com negros. Também me transmitiu a necessidade de apoiar aqueles que eram discriminados. À época em que tudo isso acontecia, eu estava empenhada em levantar fundos para uma organização chamada Possibilidades dentro da Prisão, que auxiliava presos primários a modificar suas vidas. Quando, finalmente, incorporei a idéia de ser "racista", senti como se tivesse tirado de cima de mim um peso enorme que estava me asfixiando.

Na noite seguinte, fui para o meu seminário sentindo-me completa e cheia de esperanças. No meio da atividade, Arlene levantou a mão, como fizera durante toda a semana. Hesitando um pouco, chamei-a para falar. Estávamos conversando sobre o próximo seminário da comunidade, portanto eu estava particularmente preocupada com o que ela poderia dizer. Eu queria que todos continuassem a participar. Quando Arlene se levantou, sorriu e disse: "Esse é um grande seminário", e então ela descreveu para nós sua experiência de ruptura. Quando Arlene se sentou, eu me sentia em estado de choque.

Enquanto voltava para casa, eu ia pensando na drástica mudança de comportamento de Arlene. Não queria ficar muito animada, por isso decidi esperar e ver como as coisas iriam correr na semana seguinte. Chegou a semana seguinte, e, à medida que o seminário progredia, eu esperava que Arlene levantasse a mão. Quando ela se levantou, declarou mais uma vez que o seminário estava provocando profundas mudanças em sua vida. E depois reconheceu meu apoio e comprometimento com a comunidade de Oakland.

No fim daquela noite, fiquei ali para conversar com diversas pessoas. Com o canto dos olhos, eu podia ver Arlene por perto, conversando com alguns amigos. Virei-me para ela e, olhando-a diretamente nos olhos, perguntei-lhe: "O que aconteceu?" Ela devolveu meu olhar e disse: "Não sei. Na semana passada, quando entrei no salão, simplesmente fiquei gostando muito de você".

Essa experiência mudou minha vida e me provou para sempre que, uma vez que você incorpore determinada característica, outras pessoas que sejam portadoras da mesma característica já não poderão mais se ligar em você para recarregar-se. Então elas ficam livres para conhecer você, e você, livre para conhecê-las.

Ken Wilber faz uma grande distinção no livro *Meeting the Shadow*. Ele diz: "A projeção no nível do ego é facilmente identificável: se uma pessoa ou coisa, no meio em que estamos, *nos acusa*, provavelmente não estamos projetando; por outro lado, se *nos abala*, há boas chances de que sejamos vítimas de nossas próprias projeções". Se você compreender isso de verdade, nunca mais verá o mundo da mesma forma. Pense a esse respeito. Se alguém passar por você e cuspir na calçada e você perceber mas não reagir, possivelmente não será uma coisa que precise ser trabalhada. Mas, se ficar aborrecido e pensar: *Como alguém pode ser tão mal-educado e desagradável?*, então você estará projetando. Talvez esteja envolvido com algum comportamento desagradável no momento ou tenha agido assim no passado. Por alguma razão, o comportamento desagradável o incomoda demais, portanto você se sente *abalado* pelo comportamento do cuspidor. Tudo isso deve ter começado quando você era pequeno. É possível que você realmente haja cuspido e alguém tenha dito: "Isso é muito desagradável". Talvez alguém na sua família cuspisse e os outros reagissem de uma maneira negativa. Não importa o que tenha acontecido, você se decidiu a nunca fazer uma coisa desse tipo, e empurrou esse aspecto seu para o fundo da sua mente. Se essa pessoa que cospe mexe com você, é porque isso dispara seu alarme interno. Esses alarmes são pistas para revelar seu lado sombrio. Com isso em mente, você pode observar aquilo que o abala emocionalmente como um catalisador para o crescimento, dando a você uma oportunidade de recuperar um lado seu que ficou escondido.

Nesse ponto, muitos de vocês estarão pensando: "Isso é ridículo. Não quero descobrir que sou desagradável ou arrogante". Mas é preciso lembrar que há sempre um benefício ou um talento correspondente a cada um desses aspectos. Porém, para receber o benefício, você precisa, em primeiro lugar, descobrir esses aspectos, apossar-se deles e incorporá-los. Existe uma velha história sufi sobre um filósofo que marcou um encontro para debater com Nasrudin, um sábio professor sufi. Quando o filósofo chegou ao encontro marcado, descobriu que Nasrudin não estava em casa. Injuriado, o filósofo pegou um pedaço de giz e escreveu "Estúpido idiota" no portão de Nasrudin. Quando Nasrudin chegou em casa e viu aquilo, seguiu apressado para a casa do filósofo. "Eu me esqueci", disse ele, "de que você estava para chegar. Sinto muito ter perdido nosso encontro. Mas, assim que vi seu nome escrito no meu portão, me lembrei imediatamente do encontro marcado."

Nossa indignação com relação ao comportamento dos outros diz respeito, em geral, a um aspecto não-resolvido de nós mesmos. Se ouvíssemos tudo o que sai da nossa boca quando falamos com outras pessoas, quando as julgamos ou as aconselhamos, bastaria fazer as palavras darem meia-volta e direcioná-las para nós. O filósofo poderia ter escrito apenas "bronco sem educação", "mentiroso sem consideração" ou "covarde traiçoeiro". Por outro lado, também poderia ter chegado a uma conclusão totalmente diferente e se preocupado, com medo de que Nasrudin tivesse se machucado ou ficado doente. Mas, quando ele descobriu a ausência de Nasrudin, as palavras que lhe vieram à mente foram "estúpido idiota". Na nossa vida, quando temos uma característica sem um manto de proteção, acontecem incidentes para nos ajudar a recuperar e incorporar esse aspecto rejeitado. Sem a influência de nenhum fato, a não ser a ausência de Nasrudin, o filósofo projetou seu traço, não incorporado, de "estúpido idiota".

Projetamos nossas deficiências nos outros. Dizemos aos outros o que deveríamos estar dizendo a nós mesmos. Quando julgamos os outros, estamos julgando a nós mesmos. Se você se atacar o tempo todo com pensamentos negativos, também atacará as pessoas à sua volta – verbal, emocional ou fisicamente – ou acabará destruindo alguma área de sua própria vida. O que você faz e o que você diz não são acidentais. Não há acidentes na vida que você criou. No mundo holográfico, tudo é você, e você está sempre falando consigo mesmo.

Quando você for xingar alguém por ter feito alguma coisa errada, pare e pense se você chamaria a si mesmo com esse nome. Se estiver sendo honesto, a resposta, invariavelmente, será sim. O mundo é um espelho gigante que sempre reflete as nossas costas. Cada traço está ali por alguma razão, e todos eles são perfeitos à sua maneira.

Não faz muito tempo, percebi que estava perguntando a todas as pessoas que conheço com que freqüência elas meditam, e por quanto tempo. Eu as lembrava de como é importante a meditação diária e permanecer pelo menos meia hora por dia voltado para si mesmo. Por fim, eu me perguntei por que estava tão inflexível com relação à meditação dos outros. Quando examinei meus motivos, cheguei à conclusão de que eu costumava falhar com freqüência na minha prática de meditação. Uma parte minha queria passar mais tempo voltada para dentro e em silêncio. Como eu tinha uma criança de 3 anos, eu, de alguma forma, racionalizara que não haveria problema em deixar de fazer, vez por outra, minha meditação diária. Quando percebi que estava dizendo aos outros aquilo que eu mesma precisava ouvir, fui capaz de recolher minhas projeções e honrar meu desejo inconsciente. Comecei a meditar mais e parei de pressionar os outros para fazer aquilo de que eu estava sentindo necessidade. É por isso que eu digo: "Preste atenção aos seus próprios sermões". Ao observar os motivos que me levaram a dizer às pessoas que meditem, reconheço minha própria necessidade.

Às vezes, nossa sombra está tão bem escondida de nós mesmos que é quase impossível encontrá-la. Se não fosse pelo fenômeno da projeção, ela poderia ficar escondida por toda a vida. Alguns enterram essas características de personalidade com a idade de apenas 3 ou 4 anos. Pense no tempo em que você brincava em casa, quando ainda era pequeno, e imagine-se escondendo uma moeda. Vinte, trinta, quarenta anos depois, seria praticamente impossível lembrar o incidente, quanto mais o lugar onde você escondeu a moeda. Ao projetar em outras pessoas, temos a oportunidade de, enfim, encontrar aquela determinada moeda.

Quando minhas sobrinhas vêm de Dallas, para me visitar, sempre presto muita atenção no que elas estão comendo. Se vamos a um restaurante, tento orientá-las para que escolham comidas com baixo teor calórico. E quando acho que elas já comeram demais, eu as desencorajo a pedir sobremesa, que elas adoram. Com freqüência, eu lhes digo que mais tarde iremos procurar uma sobremesa dietética. Na última vez em que elas estiveram comigo, ficamos na cozinha conversando sobre o que projetamos nos outros membros da família. Enquanto dávamos a volta na cozinha, por turnos, nos divertíamos a valer dizendo uns aos outros qual a pessoa que tivera a honra de receber nossas projeções negativas. Quando chegou a minha vez, percebi, de repente, que aquela obsessão pelo que elas comiam era uma projeção minha. Eu estava insatisfeita com a minha alimentação pouco saudável; assim, sempre que elas vinham à cidade, eu fazia de conta que não havia nada de errado comigo e que estava tudo errado com elas. Sou magra e alta, por isso posso fingir que como bem, mesmo quando não o faço. Mas, logo que percebi que o problema não era com elas e sim comigo, consegui lidar com o fato real. Isso me permitiu ter uma relação melhor com minhas sobrinhas. De repente, o que elas comiam passou a não ter a menor importância. Podíamos apenas sair e gozar a companhia umas das outras.

Você não deve olhar apenas para as áreas da sua vida que julga não estarem funcionando. Você quer descobrir todos os lugares em que se sente frustrada. Um ponto em que sempre procuro traços ocultos de caráter é quando a pessoa tenta desesperadamente evitar ser como sua mãe ou como seu pai em algum aspecto. Se sua mãe era muito severa, você precisa ser permissiva. Se você cresceu numa casa pobre, talvez tenha uma compulsão forte para ser rico. Se um de seus pais era dominador, você pode ser passivo ou muito tolerante com o comportamento alheio. Se seu pai era infiel, você precisa ser muito leal; e, se um de seus pais era preguiçoso, você se obriga a ser um trabalhador fanático. Eu poderia continuar indefinidamente, mas a questão é que agir em reação ao que os seus pais eram muitas vezes é apenas um disfarce.

Uma de minhas clientes odiava o pai porque ele era muito mesquinho. Holly passou toda a sua vida adulta tentando evitar ser mesquinha; para isso, vivia comprando presentes fabulosos para toda a família. E convidava os amigos para comer fora e assistir a espetáculos, sempre pagando tudo. Holly tinha orgulho de ser tão generosa. Quando eu lhe disse que para poder perdoar seu pai e ficar livre do ressentimento ela precisaria assumir os próprios impulsos para ser mesquinha, ela não quis se ver dessa forma. Discutimos a vida dela durante semanas, e Holly sempre mostrava como era generosa com todos. Certo dia, telefonou-me do supermercado. Ela percebera que passara quase uma hora olhando para diferentes produtos, comparando preços e o peso líquido deles em cada embalagem, para poder economizar alguns centavos. Ficou chocada ao se dar conta de que comprava um suéter por quinhentos dólares sem pensar duas vezes, mas não queria pagar vinte centavos a mais por uma caixa de lenços de papel. De repente, o alarme soou para Holly. Ela notou que era mesquinha como o pai, só que de um jeito diferente. O choque por descobrir isso levou-a às lágrimas. Holly gastara tanta energia tentando não ser como o pai! Escondera por tantos anos seus impulsos para ser mesquinha como o pai e, de repente, eles estavam ali, dentro dela, tão evidentes.

Depois de algum tempo, ela foi capaz de apreciar o benefício correspondente a ser mesquinha. Para Holly, "mesquinha" passou a ser a parte dela que a fazia planejar o futuro e investir dinheiro para a aposentadoria. Até aquele momento, ela não fora capaz de economizar porque estava muito ocupada tentando ser diferente do pai. Isso a levou a aceitá-lo mais, o que causou uma maior aproximação entre eles.

Liberdade significa ser capaz de escolher quem e o que você quiser ser em qualquer momento da vida. Se tiver de agir de determinada forma para evitar ser algo de que não gosta, você terá caído numa armadilha. Terá limitado sua liberdade e roubado de si mesmo a possibilidade de ser completo. Se você não se permite ser preguiçoso, não pode ser livre. Se não admite ficar bravo quando alguma coisa desagradável acontece, não pode ser livre. Se lida com o comportamento de alguém tornando-se o seu oposto, questione-se sobre isso. Se fica particularmente aborrecido com um determinado grupo de pessoas, descubra de que forma você se assemelha a elas. Não são apenas nossos traços negativos que projetamos em outras pessoas; os positivos também. A maioria das pessoas com quem trabalho projetam sua inteligência e criatividade, seu poder e seu sucesso. Se você quer ser como determinadas pessoas, é porque tem a capacidade de ser como elas. Se você fica fascinado com grandes astros e gasta tempo e dinheiro lendo sobre a vida deles, descubra a faceta que você ama neles e que está em seu interior.

Você merece ter tudo o que queira de forma real e sincera. A única diferença entre você e seus ídolos é que eles estão manifestando uma das qualidades que você almeja e, provavelmente, realizando os próprios desejos. Se você não estiver vivendo à altura do seu potencial, será fácil projetar seus traços positivos nas pessoas que conseguem isso. Quando começar a realizar seus sonhos e objetivos, você ficará menos interessado no que os outros estão fazendo. Cada um de nós precisa se tornar seu próprio herói. A única maneira de fazer isso é retomar as partes do nosso ser que estão conectadas a outra pesssoa, das quais nos desfizemos em algum momento.

Há quase um ano, venho trabalhando com uma amiga que está apresentando a minha Terapia da Sombra em Miami. Raquel é jovem, bonita, brilhante e talentosa. Todas as vezes em que estamos juntas, ela me faz muita festa, sempre me enaltecendo e elogiando. Ela está sempre me dizendo como sou brilhante, talentosa e bonita. Embora eu saiba que Raquel realmente gosta de mim e me respeita, também sei que ela está projetando seu brilhantismo, seu talento e sua beleza em mim.

Profundamente ciente do processo de projeção, resisti à sua obsessão. Em vez disso, orientei-a no sentido de recuperar o brilhantismo, a beleza e o talento que ela havia rejeitado. Depois de muitas conversas, ficou evidente que Raquel acreditava que eu possuía algumas qualidades que lhe faltavam. Assegurando a ela que isso não era verdade, pedi-lhe que procurasse e nomeasse as características que ela atribuía a mim. Sabemos que está ocorrendo uma projeção quando alguém se sente emocionalmente abalado pelo comportamento, negativo ou positivo, de outra pessoa. Neste caso, Raquel se deixou impressionar pelos meus traços positivos. Ela está vendo em mim sua própria capacidade. Eu sou o espelho dela. Já que ela ainda não vive a totalidade do seu potencial, só consegue ver a luz da sua sombra através de mim. Isso deixa Raquel numa posição difícil. Se eu a abandonar, essas partes dela vão desaparecer: voltarão para a escuridão até que ela encontre outra pessoa para projetá-las. As qualidades minhas que mexem com Raquel são apenas uma imagem daquilo que é possível para ela mesma.

Enquanto negarmos a existência de certos traços em nós mesmos, continuaremos a perpetuar o mito de que os outros têm alguma coisa que nós não possuímos. Ao admirar alguém, temos a oportunidade de descobrir um novo aspecto. Precisamos recuperar tanto nossas projeções positivas quanto as negativas. Devemos retirar as tomadas que ligamos nos outros, revertê-las e ligá-las em nós mesmos. Até que sejamos capazes de recuperar nossas projeções, fica impossível para nós perceber todo o nosso potencial e viver a totalidade do que realmente somos.

Se me sinto atraída pela coragem de Martin Luther King, é apenas porque percebo o quanto de coragem consigo demonstrar em minha vida. Se me sinto atraída pela influência de Oprah Winfrey, é porque estou vendo quanta influência sou capaz de exercer em minha vida. A maioria das pessoas projeta sua grandeza. Isso explica por que tantos atores, atletas e esportistas ganham tanto dinheiro. Nós os pagamos para que sejam nossos heróis – para que representem nossos sonhos e desejos irrealizados. As pessoas invejam essas estrelas sem saber nada sobre suas vidas pessoais. Perdem-se na vida de seus ídolos como uma forma de evitar a própria existência que levam. A verdade mais profunda é que estão projetando um aspecto de si mesmos em seus heróis. Se você perceber a grandeza, é a sua própria grandeza que você está vendo. Feche os olhos e pense a respeito. *Se você admira a grandeza em outro ser humano, é a sua própria grandeza que você está vendo.* Você pode manifestar isso de uma outra forma, mas, se não tivesse grandeza interior, não seria capaz de reconhecer essa qualidade em outra pessoa. Se não possuísse essa qualidade, não se sentiria atraído por ela. Todas as pessoas vêem os outros de maneira diferente porque estão todos projetando aspectos de si mesmos. O nosso trabalho consiste em distinguir o que nos inspira nos outros e então recuperar esses aspectos que havíamos afastado de nós mesmos.

Às vezes, as pessoas ficam imaginando como podem ser como alguém que elas admiram se naquele determinado momento suas vidas parecem tão diferentes. Por exemplo, podem dizer que admiram Michelangelo, mas têm certeza de que não são como ele. O que precisam fazer é focalizar exatamente as qualidades que as levam a querer ser como Michelangelo. Talvez seja o talento artístico dele, caso sejam artistas inexpressivos. Ou então a coragem que ele tinha, sua criatividade ou sua genialidade. O talento dessas pessoas talvez não esteja na arte, mas elas têm a possibilidade de ser tão grandes, criativas ou corajosas quanto ele em sua forma especial de expressar seus talentos. Esses podem se manifestar na música, na fotografia ou na jardinagem.

Qualquer desejo do coração está ali para você descobri-lo e expressá-lo. O que quer que inspire você é um aspecto de você mesmo. Descubra precisamente o que admira em alguém e encontre essa parte em você mesmo. Se você aspira ser alguma coisa, é porque tem potencial para manifestar o que está percebendo. Deepak Chopra diz: "Dentro de cada desejo está o mecanismo para realizá-lo". Isso significa que temos a capacidade de manifestar os desejos do nosso coração e aquilo que somos. Se não somos capazes de fazer ou ter alguma coisa, é porque não temos um anseio verdadeiro por aquilo. É simples assim. Goethe disse: "Se podemos imaginar algo e crer nisso, então podemos alcançá-lo". A parte difícil é trabalhar nossos temores. Os medos nos paralisam. Eles nos dizem que não somos bons o suficiente ou não temos bastante valor. Não há ninguém no mundo como você. Ninguém que tenha exatamente os mesmos desejos, os mesmos talentos ou as mesmas lembranças. Você tem suas próprias marcas em tudo; cabe a você descobrir seus talentos especiais e então manifestá-los à sua maneira particular.

Há alguns meses, minha amiga Nancy, que estava passando por uma depressão havia alguns anos, veio me visitar. Convidei-a para ouvir um dos mais famosos conferencistas do mundo na área de terapia motivacional. Durante a preleção, ficamos as duas em silêncio; eu, ocupada em tomar notas. Quando entramos no carro para voltar para casa, Nancy virou-se para mim e disse: "Este sujeito é um perdedor". Chocada, perguntei-lhe por que achava isso. Ela me disse que ele era cheio de si e que ele não tinha a menor idéia do que estava falando; que ele falava muito rápido e parecia um idiota. Durante o resto do percurso, Nancy se dedicou a indicar tudo aquilo de que não gostara na mensagem e nas maneiras daquele homem. Quando chegamos em casa, pedi a ela que se sentasse perto de mim. Perguntei-lhe se realmente achava que aquele homem era um perdedor. Ela olhou para mim, com a certeza brilhando nos olhos, e me respondeu que sim. Destacando uma folha de papel, perguntei-lhe se ela gostaria de trabalhar um pouco com esse assunto. Ela pensou por um momento e decidiu aceitar.

De um lado do papel, escrevi todas as coisas que eu sabia daquele homem. Ele tem um bem-sucedido negócio como consultor de quinhentas empresas. Também vende uma infinidade de fitas relativas à terapia motivacional e recebe cerca de 5 000 dólares por palestra. Casado há mais de vinte anos, tem três filhos saudáveis. Do outro lado da página, escrevi o que sabia sobre a vida de Nancy. Divorciada, não tinha filhos. Mantinha pouco contato com o resto da família. Estava desempregada e inúmeras vezes não fora bem-sucedida ao tentar seu próprio negócio. Pesava mais do que deveria e padecia de diversas enfermidades. As dívidas dela somavam mais de 50 000 dólares, e naquele momento levava uma vida precária. Nancy olhou para a minha lista. Então eu lhe disse: "Se eu mostrasse essas listas a dez pessoas, quem você acha que eles considerariam um perdedor?"

Num primeiro momento, Nancy recuou, horrorizada com o fato de que alguém a estivesse chamando de perdedora. Aquele era o seu pior pesadelo. Mas eu lhe expliquei que, enquanto ela não assumisse aquele aspecto dela mesma, sempre o projetaria em alguma outra pessoa. Nancy era incapaz de ouvir mensagens importantes, de conteúdo, de outras pessoas, porque projetava nelas os pensamentos que rejeitava. Depois de algumas horas, Nancy começou a perceber que, no íntimo, ela acreditava ser uma perdedora. Esse pensamento era tão doloroso que ela o enterrara bem fundo. Seu pai lhe dissera que ela nunca conseguiria nada, e ela acreditara nele. Desde a infância, ela estivera inconscientemente criando situações, uma depois da outra, para provar que era uma perdedora e assim recuperar esse aspecto de si mesma que havia rejeitado. Refletia-se sempre no mundo exterior, mas ela o negava, e o ciclo continuava. No momento em que Nancy reconheceu que acreditava ser uma perdedora, pôde começar a procurar o benefício desse aspecto, para em seguida incorporá-lo. Assim, foi capaz de examinar como ela mesma dispusera as coisas para perder, e assumia um compromisso novo, para honrar a perdedora que havia dentro dela e permitir que a vencedora, que também vivia dentro dela, criasse uma vida de abundância em todos os sentidos. A partir daí, Nancy iniciou outra carreira e hoje está gozando de um enorme sucesso pessoal e financeiro.

Há um velho ditado que diz: "Basta conhecer um para conhecer todos". Vemos nos outros tudo aquilo de que gostamos e não gostamos em nós mesmos. Se incorporarmos essas partes, seremos capazes de ver os outros comos eles são, não como os vemos através do nevoeiro da nossa projeção. Outro provérbio se refere aos três maiores mistérios do mundo, que são o ar para os pássaros, a água para os peixes e o homem para ele mesmo. Somos capazes de ver tudo diante de nós no mundo exterior. Tudo o que temos de fazer é abrir os olhos e olhar ao nosso redor. Como não podemos ver a nós mesmos, precisamos de um espelho para nos enxergar. Você é meu espelho e eu sou o seu.

EXERCÍCIOS

1. Durante uma semana, observe o seu julgamento a respeito de outras pessoas. Toda vez que você se sentir incomodado com o comportamento de alguém, escreva qual é a característica dele que mais o está perturbando. Registre todas as opiniões que tiver sobre as pes-

soas mais próximas a você. Inclua seus amigos, familiares e colegas de trabalho.

Essa lista marca o início da descoberta de seus aspectos ocultos. Você vai consultá-la quando começar o processo de reconhecimento e apropriação da sua sombra.

2. Faça uma lista dos conselhos que dá a outras pessoas. O que você está dizendo aos outros para fazer a vida deles melhor? Reflita se o conselho que está dando a eles não é exatamente um conselho para você mesmo. Algumas vezes dizemos a outras pessoas o que elas devem fazer para nos relembrar daquilo que precisamos fazer. Imagine que seus conselhos para os outros podem ser um meio de lembrar a você mesmo.

5

Conheça a Sua Sombra, Conheça a Si Mesmo

Dentro de cada um de nós se encontra um tesouro de ouro maciço. Essa essência áurea é o nosso espírito, puro e magnífico, aberto e fulgurante. Mas esse ouro foi recoberto por uma dura carapaça de argila. A argila surgiu do nosso medo. É a nossa máscara social: a face que mostramos ao mundo. Revelar sua sombra deixa à mostra sua máscara. Precisamos olhar para essa máscara com amor e piedade porque é muito importante compreender o que está escondido atrás dela.

Reflita sobre a história do Buda Dourado. Em 1957, na Tailândia, estava sendo realizada a mudança de um mosteiro, e um grupo de monges ficou encarregado de transportar um Buda gigante feito de argila. No meio da mudança, um dos monges percebeu uma rachadura na imagem. Com a preocupação de não danificar o ídolo, os monges decidiram esperar mais um dia antes de continuar a tarefa. Quando a noite caiu, um monge foi verificar a estátua gigantesca. Percorreu o Buda inteiro com a luz da lanterna. Quando encontrou a rachadura, notou algo que refletia a luz de volta para ele. O monge, curioso, arrumou um martelo e um cinzel e começou a tirar lascas do Buda de argila. À medida que ia retirando os pedaços, o Buda se tornava cada vez mais brilhante. Depois de horas de trabalho, o religioso olhou para cima, extasiado, e viu-se diante de um Buda enorme, de ouro maciço.

Muitos historiadores acreditam que o Buda fora coberto de argila pelos monges tailandeses havia centenas de anos, antes de um ataque do exército birmanês. Eles cobriram o Buda para evitar que ele fosse roubado. No ataque, todos os monges foram mortos; assim, só em 1957, quando estavam transportando a estátua gigantesca para outro lugar, é que os encarregados da mudança descobriram o tesouro. Como o Buda, nosso arcabouço nos protege contra o mundo: o nosso tesouro real está escondido lá dentro. Nós, seres humanos, inconscientemente escondemos nosso interior dourado sob uma carapaça de argila. Tudo o que precisamos fazer para descobrir esse ouro é ter coragem para retirar a camada que recobre nosso exterior, pedaço por pedaço.

Em meus seminários, costumo trabalhar com pessoas que investiram anos seguidos em terapia. São seminários que visam à transformação individual, à recuperação por meio da respiração e outras modalidades de cura. Todas me fazem a mesma pergunta: "Quando isso vai acabar? Quando estarei curado? Quanto tempo ainda terei de trabalhar esses problemas que voltam vezes e vezes sem fim?" Essas pessoas não estão se olhando como magníficos Budas envoltos por uma carapaça de argila. Elas odeiam suas carapaças. Não descobriram que essas crostas de argila as protegem muito mais do que imaginam. Precisamos das carapaças por diversos motivos, e para cada um de nós as razões são diferentes. Mesmo que o nosso objetivo final seja deixar cair nossas máscaras, necessitamos, antes, entendê-las e fazer as pazes com elas. Você acha que, depois que os monges retiraram a crosta de argila do Buda dourado, ele disse: "Odiei aquela carapaça horrenda"? Ou acredita que o Buda abençoou aquilo que evitara que ele fosse roubado e levado para longe de casa?

Quando eu era mais jovem, minha carapaça exterior era a minha forma de agir, mostrando-me agressiva, malcuidada e insensível. Ao dizer "fui feita assim", escondia meus sentimentos de inadequação e dava a mim mesma a ilusão de que eu estava bem. À medida que fui desfazendo minha carapaça, pedaço por pedaço, a minha essência brilhante começou a surgir. Mas só consegui ver além do meu exterior rude quando pude distinguir aqueles aspectos que formavam minha carapaça e que serviam de disfarce para minhas emoções escondidas. Uma vez tendo começado a enxergar entre as rachaduras, fui capaz de deixar cair a carapaça. E quando aprendi a valorizar e a respeitar essa dura carapaça por ter me protegido, minha vida se transformou.

Nossa carapaça exterior é que enfrenta o mundo, escondendo as características que constituem sua sombra. Nossas sombras são tão bem disfarçadas que, muitas vezes, mostramos uma face para o mundo quando, de fato, é o extremo oposto que realmente está dentro de nós. Algumas pessoas usam uma camada de agressividade, que esconde sua sensibilidade, ou uma máscara de humor, para cobrir sua tristeza. As pessoas que "sabem tudo" normalmente estão disfarçando o fato de se sentirem burras, enquanto as que agem com arrogância precisam ainda revelar sua insegurança. A pessoa gentil esconde o canalha dentro de si, e a sorridente oculta a irritada. Precisamos olhar além de nossas máscaras sociais para descobrir nosso eu autêntico. Somos mestres do disfarce, enganando os outros, mas nos enganando também. São as mentiras que contamos a nós mesmos que temos de decifrar. Quando nunca nos sentimos completamente satisfeitos, contentes, saudáveis ou realizando nossos sonhos, é porque essas mentiras estão no nosso caminho. É assim que reconhecemos nossa sombra, quando a trabalhamos.

A mudança requerida é relativa à percepção. Você precisa encarar sua carapaça exterior como algo que lhe serviu de proteção, não apenas como alguma coisa que o impediu de realizar seus sonhos. Sua carapaça exterior é divinamente projetada para orientar seu processo espiritual. Ao revisitar e explorar cada incidente, cada emoção e cada experiência que o levaram a construir essa carapaça, você será guiado de volta ao lar para incorporar a totalidade do seu ser. Nossas carapaças são o guia do nosso crescimento pessoal. São feitas de tudo aquilo que somos e daquilo que não queremos ser. Não importa o quanto seja doloroso o seu passado ou o seu presente; se olhar verdadeiramente para você mesmo e usar a informação armazenada em sua carapaça exterior como um guia, isso o encaminhará em sua jornada para o esclarecimento.

Quando você descobrir a totalidade do seu ser, não precisará mais da carapaça para protegê-lo. Deixará que suas máscaras caiam naturalmente, expondo seu verdadeiro eu para o mundo. Não precisará fingir que é superior ou inferior a qualquer outra pessoa. Todos no mundo são iguais a você. Criamos nossas carapaças a partir do nosso ego ideal. O ego é o "Eu" distinto do outro. O espírito agrupa o "eu" e o outro num só. Quando ocorre essa união entre o espírito e o eu, tornamo-nos unos em relação a nós mesmos e ao mundo. A maioria das pessoas não vão muito longe no processo de revelar sua sombra porque não querem ser honestas consigo mesmas. O ego não gosta de perder o controle. No momento em que você toma conhecimento de todos os seus próprios aspectos, os bons e os maus, o ego começa a sentir uma perda de poder. No *The Tibetan Book of Living and Dying*, Sogyal Rinpoche explica que

> o ego é a nossa identidade falsa e inconscientemente assumida. Assim, o ego é a ausência do verdadeiro conhecimento de quem somos de fato, junto com seu resultado: a condenação a ficar presos, a qualquer custo, a uma imagem substituta e remendada de nós mesmos, um inevitável eu camaleônico e charlatão que está sempre mudando e que precisa fazer isso para manter viva a ilusão de sua existência.

Se, ao começar o processo de revelação da sua sombra, uma voz dentro de você gritar pedindo-lhe que pare, saiba que é apenas o seu ego com medo da própria morte. Decida-se a desvendar seu verdadeiro eu. Desafie a pessoa que você pensa que é a descobrir o que você pode se tornar.

Usar outras pessoas como espelho ajuda você a decifrar a sua máscara. Entreviste as pessoas próximas a você – amigos, namorados, familiares e colegas. Pergunte a elas quais as três coisas que elas mais gostam em você e quais as três que gostam menos. Certifique-se de que elas estarão à vontade para responder honestamente. Só você pode fazer os outros se sentirem seguros para dizer-lhe a verdade. Descubra se eles acham que você é como julga ser. Muitas vezes, os outros vêem em nós mais aspectos positivos do que nós mesmos e, ao mesmo tempo, atribuem-nos mais traços negativos do que nós vemos ou admitimos.

As pessoas costumam resistir a esse exercício, com medo de serem julgadas. A palavra "julgamento" tem um peso excessivo, por isso prefiro usar a palavra *feedback*, que é um instrumento muito útil. Não somos obrigados a acreditar no que os outros pensam de nós, mas, se estamos com medo de ouvir o que as pessoas mais próximas têm a dizer, precisamos perceber isso. A maioria das pessoas fica com medo de ouvir aquilo que mais teme. É uma forma de rejeição ao trabalho, como se elas dissessem: "Não perceba que estou mentindo". Só temos medo do *feedback* quando sabemos que existe alguma forma sobre a qual mentimos a nós mesmos. Se você sentir honestamente que aquilo que alguém pensa de você não tem base na realidade, não vai se preocupar. Só damos importância ao juízo que fazem a nosso respeito quando temos consciência de que enganamos a nós mesmos e fomos advertidos por causa disso. Como no caso de Kate, por exemplo.

Kate me procurou para iniciar um trabalho com ela, e, quando eu lhe pedi que fizesse o exercício de perguntar às pessoas conhecidas qual era a opinião delas a seu respeito, o que ressaltou da parte negativa foi a falta de integridade. Ela ficou desconcertada porque, durante toda a vida, do seu ponto de vista, se esforçara para ser honesta a qualquer preço. Sabendo como esse processo funciona, eu tinha certeza de que as pessoas ao seu redor haviam percebido um aspecto de Kate que ela havia escondido de si mesma. Pedi a ela para fechar os olhos e deixar que as imagens brotassem em sua mente toda vez que eu lhe fizesse uma pergunta. Depois de respirarmos juntas algumas vezes, profunda e conscientemente, pus uma música suave e comecei a guiá-la por meio de uma visualização. Pedi-lhe que caminhasse num jardim, onde lhe sugeri a existência de plantas verdejantes, árvores e flores. Quando Kate ficou relaxada e à vontade, solicitei a ela que se lembrasse de um momento em que tivesse sido desonesta, de uma ocasião em que houvesse mentido ou enganado, de uma circunstância em que não fora íntegra. Sentamo-nos em silêncio, e as lágrimas começaram a rolar pelo rosto dela. Quando ela finalmente falou, contou-me a história que reproduzo a seguir.

Kate desejara ser médica durante toda a vida. Terminara o último ano da faculdade de medicina e estava em seu terceiro mês de residência num grande hospital de Nova Orleans. Era a hora do jantar, e todos estavam ocupados, inclusive Kate. Ela fazia a ronda, examinando seus pacientes. Entrou no quarto de uma mulher e decidiu que precisava irrigar com soro fisiológico uma linha que estava junto ao coração da paciente. Como não conseguiu uma enfermeira para ajudá-la, desceu rapidamente para buscar um frasco daquele líquido. Sem olhar para o frasco que a enfermeira do outro andar havia dado a ela, Kate injetou a solução. Quando o procedimento chegou mais ou menos à metade, a mulher em que Kate estava injetando o líquido começou a ter um ataque. Assustada, Kate olhou para o frasco em sua mão e leu no rótulo "cloreto de potássio". Parou imediatamente de injetar e controlou a mulher até que ela se recobrasse do ataque. Nesse meio-tempo, muitos médicos haviam acorrido para tentar descobrir o que havia acontecido com aquela paciente, mas Kate já havia escondido o frasco. Ela estava horrorizada, pois poderia ter matado a mulher ou provocado lesões graves nela por haver quebrado uma das principais regras aprendidas na faculdade – não dar nenhum medicamento a um paciente sem antes ter verificado o rótulo. Quando o médico perguntou a Kate o que acontecera, ela mentiu e disse que não sabia. Ela nunca contara a ninguém aquela história. Na verdade, ela jamais pensara naquilo, desde o dia em que acabara a residência e deixara o hospital. Naquele dia terrível, Kate jurara que jamais cometeria outro erro médico.

Nos dezesseis anos que se seguiram a esse acidente, ela se tornou mundialmente famosa como médica e escritora, orgulhosa de sua integridade e cheia de aversão por qualquer um que tivesse padrões mais baixos do que os dela. Mas, na vida pessoal, o que surgiu foi o questionamento dos amigos em relação à sua integridade. Por ter rejeitado essa parte de si mesma, enterrando-a muito tempo atrás, estava cega para isso. Kate usava uma máscara de integridade para esconder a parte dela que era mentirosa. Enganara a si mesma para acreditar na própria dissimulação.

Esse único ato de desonestidade, que Kate não conseguiu resolver, criou vida própria. Ela se tornou incapaz de perceber quando mentia aos outros, em seus relacionamentos. Reclamava que sempre era malcompreendida. E, apesar de todas as suas conquistas, Kate nunca estava satisfeita com a vida. Temia relacionamentos íntimos, mantendo os amigos a distância para se assegurar de que eles não descobririam seu segredo. Ela imaginava que gostava muito de si mesma; mas, depois do nosso trabalho conjunto, percebeu que havia uma parte que ela detestava, um aspecto de si mesma que uma vez lhe causara vergonha e humilhação. Assim que Kate conseguiu enxergar sua própria falta de integridade, fez-se uma luz dentro dela. Ela se tornou capaz de perceber as outras ocasiões em sua vida em que mentira a si mesma ou aos outros. Quando terminamos nosso trabalho, Kate parecia anos mais moça. Ela fora capaz de liberar a mentira gigante que reprimira durante tanto tempo. Sentia-se leve e livre, mas não entendia por quê. E foi assim que lhe expliquei sua sensação física de alívio.

Pense por um momento sobre quanta energia é gasta para esconder alguma coisa de você mesmo e do mundo. Tente pegar uma fruta, digamos um mamão papaia, e carregá-la durante um dia inteiro. Mantenha a fruta fora do seu campo de visão e certifique-se de escondê-la bem quando estiver com outras pessoas. Depois de algumas horas, observe quanta energia você gastou. Isso é o que nosso corpo tem de fazer o dia inteiro. Com a diferença que ele não tem de lidar com apenas uma fruta, mas com todas aquelas que você tem tentado esconder de você e do mundo. Quando você finalmente deixar que essas verdades venham à superfície, estará livre. Terá à sua disposição todo esse excesso de energia para despender agora em seu crescimento pessoal e no caminho para atingir seus mais altos objetivos. Somos tão doentes quanto nossos segredos, apenas isso. Eles não nos deixam ser nós mesmos. Mas quando o mundo fizer as pazes consigo mesmo, refletirá de volta a paz na mesma intensidade. Quando você estiver em harmonia consigo mesmo, estará em harmonia com tudo o mais.

Outras pessoas ouvem o que você está dizendo e vêem o que está fazendo, mas também estão conscientes da sua linguagem corporal e percebem se ela contradiz ou não o que você diz ou faz. Por isso, é importante prestar bastante atenção no que você está comunicando fisicamente aos outros. Como dizia Emerson: "Quem você é fala tão alto que não consigo ouvir o que você está dizendo". O que você diz quando não está falando? Nossa linguagem corporal, nossas expressões faciais e a energia que passamos estão sempre enviando mensagens. Estudos recentes demonstram que 86 por cento de nossas comunicações não são verbais. Isso significa que apenas 14 por cento do que você expressa verbalmente faz alguma diferença para quem você estiver falando. Você quer se perguntar: "O que estou comunicando silenciosamente? Quais são as mensagens que estou emitindo? Eu carrego um sorriso no rosto quando estou triste? Pareço furioso quando estou lhe contando como a minha vida é ótima? Acredito estar em forma quando meu espelho me diz outra coisa? Consigo me olhar dentro dos olhos e sentir que está tudo bem com o que estou dizendo, ou eu fujo?"

Essas são perguntas difíceis de enfrentar. Você precisa se dar a liberdade de não gostar das respostas, porque com certeza haverá algumas que não serão agradáveis. Mas todas terão muita utilidade. Recentemente, trabalhei com um grupo de pessoas que estavam sendo treinadas para orientar seminários para recuperação. Estávamos gravando todos os participantes em videoteipe, a fim de que eles pudessem ver que aparência apresentavam para outras pessoas. Uma mocinha muito atraente chamada Sandra levantou-se para falar. Apesar de suas palavras bonitas, tudo o que consegui captar foi o modo como ela se movia – seus movimentos lentos e sensuais que flertavam com a audiência. Quando ela acabou de falar, perguntei-lhe como ela imaginava que o público a sentia. Ela respondeu: "Competente e amorosa". Quando perguntamos a mesma coisa ao resto do grupo, os comentários que surgiram eram do tipo: "gracinha", "sensual", "chama muito a atenção". Eu lhe disse que, se fosse homem, a convidaria para tomar alguma coisa depois do seminário. Como mulher, eu poderia ter me incomodado com seus movimentos sensuais. O que ela estava fazendo era nos distrair daquilo que tentava comunicar. O objetivo de Sandra era fornecer informações às pessoas para que elas pudessem curar a si mesmas, mas tudo o que conseguíamos ouvir era: "Veja como sou bonita e *sexy*. Você gosta de mim? Acha-me atraente?" Nada disso era falado; entretanto, a audiência estava pensando no corpo de Sandra em vez de prestar atenção na mensagem que ela queria transmitir. Passamos o vídeo de Sandra outra vez, sem som, e ela ficou chocada com o que estava comunicando. Quando lhe perguntei se ela imaginava por que estava agindo daquela forma, ela respondeu que queria que as pessoas gostassem dela e que conseguia captar energia atraindo os homens para si. A verdade, porém, era que sua linguagem corporal estava esvaziando a sua energia. Sandra estudara durante anos para trabalhar com a recuperação de pessoas. No momento em que, finalmente, tinha a oportunidade de falar diante de grupos grandes, ela os brindava com sua máscara em vez de lhes passar sua mensagem. Sandra estava ansiosa para ver e ouvir a verdade, mesmo tendo ficado chateada e embaraçada com sua apresentação. Ela trabalhou com afinco para se apropriar de suas mensagens silenciosas e da parte de si mesma que precisava tanto da aprovação dos homens. Assim que descobriu essa sua característica, foi capaz de incorporá-la, tornando-se, em seguida, uma grande oradora, apta a realizar seu sonho de ajudar as pessoas.

Interrogar os outros para descobrir o que eles vêem em você é um processo assustador. Mas cada pedacinho de informação que eles lhe devolvem é uma bênção. É preciso coragem e empenho para poder se ver por inteiro. Se não estiver querendo ouvir a verdade, você será incapaz de transformar sua vida. Muitas vezes, as pessoas passam por um processo de sofrimento depois de descobrir que algumas partes delas ficaram escondidas durante um longo período. Se você tem se enganado quanto ao nível do seu narcisismo, está na hora de se deixar ficar triste ou bravo por algum tempo. Lembre-se da essência do seu ser: o todo que você é não se modifica à medida que você transfere certas emoções e impulsos para a sua sombra. Você, realmente, jamais se torna outra pessoa; o seu eu verdadeiro, maravilhoso, lá no fundo, sempre continuará a existir. Assim, entender-se com sua sombra é uma forma de você se lembrar de quem realmente é.

Agora que outras pessoas já nos deram retorno das impressões que causamos nelas, continuemos o processo de revelação da nossa sombra. Uma outra maneira de expor seus aspectos escondidos é fazer uma lista de três pessoas que você admira e de três que você odeia. Aquelas a quem você admira devem inspirar-lhe qualidades que você gostaria de ter. As pessoas de quem você não gosta têm que deixá-lo realmente furioso ou desgostoso; devem ter feito alguma coisa que você achou terrível. As listas não precisam incluir apenas nomes de pessoas que você conhece pessoalmente, embora isso possa acontecer. Podem ser políticos, atores, escritores, filantropos, músicos, assassinos. Depois de fazer sua lista, escreva as três qualidades que você aprecia ou admira mais em cada uma dessas pessoas, e aquelas que mais lhe desagradam. Então, numa folha separada, faça a lista de todas as qualidades positivas das pessoas que você admira de um lado, e do outro coloque as negativas. Minha lista ficou mais ou menos assim:

Martin Luther King, Jr. – *visionário, corajoso, honrado*
Jacqueline Onassis – *elegante, bem-sucedida, líder*
Arielle Ford (minha irmã) – *espiritual, criativa, poderosa*

Charles Manson – *predador, assustador, detestável*
Hitler – *assassino, preconceituoso, maligno*
Harriet Spiegel (uma velha professora) – *arrogante, sabe-tudo, colérica*

LISTA POSITIVA	LISTA NEGATIVA
visionário	predador
corajoso	detestável
honrado	assustador
elegante	assassino
bem-sucedida	maligno
líder	preconceituoso
espiritual	arrogante
criativa	sabe-tudo
poderosa	colérica

Essas listas são boas para você descobrir seus aspectos rejeitados. Examine cuidadosamente cada característica que você inseriu na lista. Gosto de começar pelos traços negativos. A princípio, você pode ter dificuldade para perceber que possui facetas semelhantes às de alguém como Hitler. É importante decompor as palavras genéricas, como "assassino". A pergunta a ser feita é: "Que espécie de pessoa cometeria esses atos?" Por exemplo, com "assassino" você pode associar "egoísta", "colérico", "que não valoriza a vida humana". Se chegar a uma frase como "não valoriza a vida humana", então pergunte a si mesmo que tipo de pessoa não valoriza a vida humana. Você pode chegar a "doente", "louco" e "narcisista". A parte importante desse processo é decompor a linguagem até chegar a uma palavra específica ou a uma qualidade que você odeie ou que lhe desagrade. Descubra as qualidades que, para você, têm uma carga emocional. Determine o que desencadeia essa reação.

Steven, um bem-sucedido consultor de negócios que freqüentou um dos meus seminários, depois de meditar por oito anos, se comprometera a mudar sua vida, de verdade. Não mantivera nenhum relacionamento durante os últimos cinco anos e estava preparado para encontrar uma companheira, casar-se e formar uma família. Sentia-se pronto para mergulhar em si mesmo e tentar descobrir por que era tão malsucedido no amor. No segundo dia, Steven conseguiu revelar muitos aspectos de si mesmo, mas uma coisa o incomodava. Num intervalo, ele me chamou e disse que havia um senhor no seminário que ele não suportava. Perguntei-lhe o que o aborrecia tanto naquele homem. Ele pensou por um segundo e sussurrou no meu ouvido: "Ele é um verme, e odeio vermes". Eu não disse nada, mas esperei calmamente até que Steven estivesse pronto para falar. Havia um brilho de reconhecimento em seus olhos quando ele me contou sua história. Quando ele tinha cinco anos, seu pai queria que ele fosse dar um passeio de pônei. Eles estavam numa feira estadual com toda a família. Steven nunca vira um pônei de verdade e estava terrivelmente assustado em relação àquele animal, que lhe parecia enorme. Quando Steven disse ao pai que estava assustado, ele o repreendeu, dizendo: "Que espécie de homem você vai ser? Você não passa de um verme, você é uma vergonha para a família". Steven fora castigado. Desde aquele dia, tomou a decisão de nunca mais ser considerado um verme. Passou o resto da vida tentando ser motivo de orgulho para o pai. Foi faixa-preta em caratê, jogou futebol americano na escola, fez halterofilismo, tudo para provar que não era um verme. Deu um jeito de enganar o pai, mas também aprendeu a enganar a si mesmo. Ele tinha se esquecido desse incidente doloroso.

Perguntei a Steven se ele conseguia perceber se ainda era um verme em alguma área da sua vida. Depois de pensar um pouco, ele disse que ainda se sentia assim diante das mulheres. Tinha medo delas, de se comunicar honestamente com elas; assim, sempre que surgia um problema num relacionamento, Steven ia embora. Ele abandonara quase todas as mulheres com quem tivera algum tipo de relacionamento e, a essa altura, tinha até medo de se aproximar de mulheres atraentes. Eu pedi a Steven que desse um tempo até sentir por completo sua vergonha e seu embaraço.

Quando perguntei a Steven qual era o benefício de ser um verme, ele olhou para mim como se eu tivesse enlouquecido. Ele não conseguia compreender como uma coisa tão horrível, algo que ele negara durante toda a vida, poderia trazer algum benefício. Naquele momento, lembrou-se de uma ocasião em que o fato de ser um verme provavelmente lhe salvara a vida. Quando estava na faculdade, um grupo de amigos se reuniu parâ beber. Depois de algumas horas, um dos rapazes sugeriu que fossem a um bar na cidade vizinha. Os outros três amigos de Steven decidiram que todos deveriam ir. Steven estava com medo de dirigir bêbado ou de ir num carro com quem estivesse dirigindo bêbado, por isso disse aos companheiros que tinha um encontro marcado com alguém e que precisava descansar. Ele não quis dizer aos outros que estava com medo de ir. Não queria parecer um verme, um covarde. Duas horas depois, o carro de seus colegas derrapou para fora da estrada; um de seus melhores amigos morreu, e os outros três ficaram gravemente feridos.

Steven não podia acreditar que estava se lembrando de tudo isso. Havia bloqueado em sua mente aquele incidente doloroso. Na ocasião em que tudo acontecera, ele pensara apenas que tivera sorte por ter escapado, naquela noite. Perguntei a ele se houvera outras situações em que ser um verme o tinha salvo de encrencas. Agora ele percebia como esse traço de caráter o tornara um homem cauteloso, que se mantinha longe de brigas e, provavelmente, era isso que o tinha salvo de muitas confusões. Conversamos a respeito de muitos incidentes passados antes de eu perguntar a Steven como ele se sentia sendo um verme, naquele momento. O rosto dele se iluminou; ele havia incorporado aquela característica. Podia se dar conta, então, de que aquele traço seu tinha sido valioso em muitas ocasiões. Ele se tornara capaz de sentir orgulho disso. A vergonha e a dor haviam desaparecido.

A nova perspectiva de Steven lhe deu poder. Não temos nenhum poder de decisão sobre os eventos da nossa vida, segundo Nietzsche dizia, mas temos voz ativa na forma de interpretá-los. A interpretação pode, realmente, aliviar nossa dor emocional. Inventar interpretações é um ato criativo. Tão logo Steven conseguiu amar e respeitar sua condição de verme, parou de projetar isso nos outros homens. Em vez de ser rejeitado por ter um comportamento de verme, podia ser alertado por ele.

Mais tarde, durante o curso, Steven chegou a conhecer o homem que ele julgara um verme. Ficou encantado com o fato de ele lhe parecer tão diferente. Foi Steven que mudou tanto em tão poucas horas ou foi o homem? Quando Steven aceitou o fato de ser um verme, as lentes através das quais ele olhava o mundo mudaram. Agora podia ver com clareza. Ao deixar de lado a necessidade de provar que era macho, ele foi capaz de aceitar sua própria sensibilidade, sua timidez e cautela. Isso levou-o a abrir o coração e deixar que as pessoas se aproximassem dele.

A revelação é o primeiro passo da terapia da sombra. Requer absoluta honestidade e vontade de ver o que você não tem sido capaz de perceber. O conhecimento do nosso eu-sombra dá início ao processo de integração e cura. Lembre-se de que cada um desses traços "negativos" tem um lado benéfico, mais valioso do que você imagina. Basta se dispor a fazer o trabalho e, em pouco tempo, você sentirá as bênçãos de se sentir inteiro, feliz e livre.

EXERCÍCIOS

1. Eis uma lista de palavras negativas. Pense durante alguns minutos e identifique quaisquer palavras que tenham uma carga emocional para você. Diga em voz alta: "Eu sou _____". Se conseguir dizer a palavra sem sentir nenhuma emoção, passe para a próxima. Escreva as palavras que não lhe agradam ou que lhe provocam alguma reação. Se não tiver certeza de que determinada palavra tem uma carga emocional para você, feche os olhos por um minuto e medite sobre ela. Repita-a algumas vezes em voz alta e pergunte a você mesmo como

se sentiria se alguém que você respeitasse se referisse a você com esse termo. Se isso o incomodar ou o deixar bravo, escreva a palavra. Pense também, durante algum tempo, sobre as palavras que não estão na lista mas regem sua vida ou lhe causam dor.

Ganancioso, mentiroso, fingido, insignificante, odioso, ciumento, vingativo, controlador, grosseiro, possessivo, autoritário, verme, canalha, maldoso, puritano, adúltero, colérico, dependente, alcoólatra, predador, viciado em drogas, jogador, doente, gordo, nojento, estúpido, cretino, medroso, inescrupuloso, masoquista, voraz, anoréxico, insignificante, rábula, compulsivo, frígida, rígido, aproveitador, manipulador, vítima, algoz, egocêntrico, o melhor, tolo, emotivo, pomposo, feio, piegas, espalhafatoso, linguarudo, passivo, agressivo, fedorento, aleijado, covarde, tolo, falso, ofensivo, impróprio, selvagem, morto, zumbi, atrasado, irresponsável, incompetente, preguiçoso, oportunista, exagerado, mesquinho, desleal, pateta, retardado, traidor, espertalhão, imaturo, fofoqueiro, arrogante, desesperado, infantil, sem-vergonha, megera, florzinha, cavador de ouro, temperamental, cruel, insensível, perigoso, explosivo, pervertido, psicótico, indigente, sanguessuga, desordeiro, medíocre, desconfiado, aquela que odeia os homens, triste, fraco, impotente, insípido, castrado, filhinho-da-mamãe, neurastênico, deformado, manco, pão-duro, solteirona, vadia, inquisidor, impostor, superficial, violento, imprudente, mártir, hipócrita, comprador de amor, pessoa sorrateira, rancoroso, condescendente, competidor, faminto de poder, esbanjador, insano, sinistro, fanático, nazista, ansioso, empacado, pessoa extremamente bem-sucedida, simplório, misógino, sádico, nariz empinado, perdedor, imprestável, falho, invejoso, crítico, frouxo, desleixado, prostituta, vergonhoso, sujo, amargo, mandão, inflexível, velho, frio, descartável, desalmado, sem-coração, decadente, vivo, ressentido, racista, obscuro, esnobe, elitista, velha coroca, dominador, inconsistente, mau, ignorante, ladrão, impostor, escamoso, cobrador, desclassificado, desprezível, extraviado, conivente, macaca-de-auditório, inseguro, deprimido, desesperançado, pedinte, lamuriento, bundão, estourado, frugal, detestável, delinqüente, super-hiper, intrometido, intruso, perfeccionista, sabe-tudo, puxa-saco, malicioso, ressentido, virtuoso, anormal, inútil, burguês, resistente, contido, traidor, inferior, destrutivo, burro, confrontador, impaciente, pervertido, reprimido, autodestrutivo, ditatorial, idiota, cruel, hipersensível, teimoso, bunda-mole, desinteressante, sem-vida, vazio, diabólico, ridículo, desgraçado, pé-no-saco.

2. Imagine que saiu um artigo sobre você no jornal do seu bairro. Quais são as cinco coisas que não gostaria que dissessem de você? Anote-as. Agora, tente imaginar cinco coisas que poderiam ser ditas e que não o incomodariam de jeito nenhum. A questão é: as cinco primeiras coisas são verdadeiras e as cinco segundas, não? Ou você decidiu, com a ajuda da família e dos amigos, que as cinco primeiras são formas erradas de ser, portanto não quer que digam isso de você? Precisamos descobrir o que está por trás dessas palavras, assim poderemos recuperar essas partes de nós mesmos que rejeitamos.

Escreva qual o juízo que você faz de cada uma dessas palavras. Procure localizar a ocasião em que você fez esse julgamento pela primeira vez ou de quem adotou essa opinião: da sua mãe, do seu pai ou de outro membro qualquer da família.

6

"Eu Sou Isso"

Depois de revelar todos os nossos aspectos rejeitados, estamos aptos a passar para um segundo estágio do processo, que é o momento em que nos apropriamos desses traços. Com o termo "apropriar" quero dizer tomar conhecimento de que uma determinada qualidade pertence a você. Agora podemos assumir a responsabilidade por tudo aquilo que somos, pelas partes de que gostamos e pelas outras, também. Nesse momento, você não precisa gostar de todos os seus aspectos; basta querer confessá-los a você e aos outros. Há três perguntas úteis que você pode se fazer. Alguma vez já tive esse tipo de comportamento no passado? Estou tendo esse comportamento atualmente? Sou capaz de apresentar esse tipo de comportamento em diferentes circunstâncias? Se você responder "sim" a qualquer uma dessas perguntas, pode-se dizer que iniciou o processo de apropriar-se de um traço de caráter.

Alguns são mais fáceis de reconhecer do que outros. Aqueles aspectos que mais nos empenhamos em negar ou que projetamos em alguém são os mais difíceis de aceitar. Levam mais tempo. Mas é tão importante ser cruel consigo mesmo como ser gentil. *Empenhe-se* em descobrir que você "é" aquilo que menos gostaria de ser. Obrigue-se a olhar com outros olhos além dos mecanismos de defesa que só querem dizer: "Eu não sou isso". Olhe através de olhos que digam: "Sou isso. Em que situação eu sou isso?" Resista à tentação de se julgar. Não tire conclusões apressadas que o levem a pensar que você é uma pessoa horrorosa, se descobrir que é egoísta ou ciumento. Todos nós temos tanto essas características quanto as que estão em oposição a elas. Elas são uma parte da nossa humanidade. Todos os nossos impulsos e emoções – tanto os que chamamos de positivos quanto os que chamamos de negativos – estão ali para nos guiar e ensinar. Mesmo que você seja cético, dê-se a oportunidade de conhecer todos esses aspectos e descobrir seus benefícios. Eu lhe prometo que, no final, você vai encontrar ouro.

"Apropriar-se" é um passo essencial no processo de cura e de criação de uma vida que você ame. Não podemos incorporar aquilo que não nos pertence. Se você pretende manifestar todo o seu potencial, precisa recuperar as partes de si mesmo que renegou, escondeu ou atribuiu a outros. Quando eu estava nos primeiros estágios do meu processo de cura, eu não conseguia encontrar o homem certo. Todos os que eu desejava pareciam não me querer. Eu ia atrás dos homens como se estivesse indo a uma loja. Sentia atração por homens que não eram os indicados para mim, pois não sabia quem eu era na verdade, e também porque estava separada de tantos aspectos bonitos do meu próprio ser. O único homem a quem realmente eu amei me disse que não podia ficar comigo porque ele sabia que um dia eu descobriria quem eu era, de fato, e, então, eu o abandonaria. Meus amigos percebiam que os homens que eu escolhia não eram apropriados para mim, mas eu ainda acreditava que não passava de uma casa de dois quartos precisando de reforma. Por isso, tudo e todos à minha volta refletiam a minha falta de amor-próprio. Assim que me apropriei de outros aspectos de mim mesma – do meu medo, da minha dissimulação e da minha grandiosidade –, não precisei mais atrair parceiros medrosos, dissimulados e pomposos. Ficou fácil para mim atrair homens que refletiam os meus aspectos positivos; homens bons, generosos, que me amavam e me aceitavam como eu sou.

Se houver um aspecto de nós mesmos que não aceitamos, atrairemos continuamente pessoas que representam esse aspecto. O Universo continuará tentando não só nos mostrar quem somos na realidade, mas também nos ajudar a recompor nosso todo. A maioria das pessoas enterrou tão fundo esses aspectos rejeitados que não consegue perceber que pode ser exatamente igual àquele tipo particular de pessoa a quem olha com tanto desprezo. Portanto, se um tipo especial aparece com freqüência em sua vida, existe uma razão para isso. Durante anos, todas as vezes que minha amiga Joanna saía para um encontro, ela me dizia: "Ele não serve para mim, ele é um *cafona*". Nas primeiras seis ou sete vezes em que isso aconteceu, eu não disse nada; mas, depois de um tempo, a situação ficou muito óbvia. Finalmente, sugeri a Joanna que *ela* era a cafona. Disse-lhe que, se ela por acaso resolvesse se apropriar da cafonice que existia nela mesma, poderia se livrar dos encontros amorosos com cafonas. Ela achou que eu tinha enlouquecido. Mostrei-lhe que, se eu jamais saíra com cafonas, como era possível que todos os homens com quem ela saía tivessem esse traço que a desagradava tanto?

E as histórias de cafonice continuaram por meses. Chegou a ficar quase cômico, porque a dinâmica era tão evidente para mim como era obscura para Joanna. Até que uma noite, já bem tarde, recebi um telefonema de Joanna, que afinal compreendera o que se passava depois de um encontro com mais um cafona. Ela estava sofrendo e me pediu para lhe explicar de que forma ela era cafona. Eu lhe sugeri gentilmente que, às vezes, quando ela usava meias soquetes cor-de-rosa com tênis branco de couro, as pessoas talvez a considerassem cafona. Ela ensaiou uma risada e me fez prometer que, caso assumisse a própria cafonice, ela ficaria livre de todos os encontros com cafonas. Ela concordou em fazer uma lista de todas as vezes em sua vida em que tinha sido cafona. No dia seguinte, Joanna me telefonou para me passar uma longa lista de coisas cafonas que havia feito ou dito. Como não queria ser cafona, Joanna construíra uma fachada "sóbria". Vivera dessa forma por mais de vinte anos, mas, quando examinou esse período bem de perto, percebeu que a cafonice, vez por outra, mostrara sua carantonha.

Ao descobrir esses momentos em sua vida, e conseguindo rir deles comigo, Joanna se deu conta de que não era tão terrível ser cafona. E desde a ocasião em que assumiu a própria cafonice, dois anos atrás, posso lhe dizer honestamente que ela não saiu com mais nenhum cafona. Quando procurou aquilo que a cafonice lhe havia dado, Joanna notou que, não querendo ser cafona, construíra uma *persona* pública sóbria, chique e elegante. A cafonice de Joanna e sua reação a ela foram os fatores que lhe permitiram criar um belo estilo todo seu.

Há inúmeras formas de abordar o reconhecimento de nossos traços de caráter. Comece por se concentrar nas características que o incomodam. Pegue sua lista de palavras que descrevem as pessoas de quem você não gosta ou odeia e examine cada aspecto. Não importa o quanto você resista, precisa apropriar-se de cada um desses traços para que o processo possa continuar. Descubra um momento em sua vida em que tenha exibido esse traço ou em que alguém mais haja percebido que você estava incorporando essa característica. Experimente cada traço como se fosse uma jaqueta, sinta seu contato e pense no que teria de fazer para ajustá-la. Imagine como reagiria se uma pessoa que você ama o chamasse disso. Você precisa examinar o que pensa sobre cada traço isoladamente e o juízo que faz sobre as pessoas que exibem essa característica. Veja quantas pessoas você desprezou porque tinham esse traço. Não procure se comparar favoravelmente a essas pessoas nem estabelecer diferenças entre o seu comportamento e o delas. Não deixe seu ego tentar justificar seu próprio comportamento. Lembre-se: o mundo vê um cafona como um cafona.

Um homem que freqüentava um dos meus cursos amava o conceito de ser todas as coisas – de ter o mundo dentro dele. Bill estava com quase 60 anos e só tivera problemas de verdade com uma pessoa: seu filho de 28 anos. Quando lhe perguntei o que mais o incomodava nele, Bill disse que o filho era mentiroso, que sempre mentia para ele, o que, na sua opinião, era a pior coisa que alguém poderia fazer. "Nunca menti em toda a minha vida", disse Bill. "Pergunte a qualquer um que me conheça." Ele estava de tal modo enfurecido que seu rosto brilhava de tão vermelho. Por uns bons 15 minutos, não fui capaz de ajudá-lo a reconhecer que mentira no passado ou que seria capaz de mentir no futuro. O resto do pessoal estava ficando impaciente com Bill. Todos éramos capazes de nos lembrar de pelo menos umas cem vezes em que havíamos mentido quando crianças, adolescentes ou adultos, sem mencionar as vezes em que mentíramos para nós mesmos. Mas Bill não arredava pé. Perguntei então a ele se alguma vez trapaceara um pouquinho na declaração de impostos. O rosto dele se iluminou com um grande sorriso, e, com o indicador apontando diretamente para mim, ele disse: "Essa é uma espécie de mentira diferente". Todos na sala olharam para mim, incrédulos.

Sinto muito dizer que Bill é uma das poucas pessoas que freqüentaram o meu curso mas não trilharam seu caminho por ele. James Baldwin, um analista junguiano, disse: "Só conseguimos encarar nos outros o que conseguimos encarar em nós mesmos". Bill tinha considerado seu filho tão errado por mentir e era tão rigoroso em suas opiniões sobre mentirosos que não queria descobrir esse aspecto em si mesmo. Ele investira demais em ser correto. Se Bill tivesse sido capaz de se apropriar desse aspecto dele mesmo que era mentiroso, ele teria conseguido se desconectar do problema do filho. É preciso compaixão para assumir uma parte de si mesmo que você previamente rejeitou, ignorou, odiou, negou ou criticou nos outros. É necessário compadecer-se para aceitar-se como um ser humano que tem todos os aspectos da humanidade dentro de você, os bons e os maus. Afinal, quando abrir seu coração para você mesmo, descobrirá que tem piedade em relação a tudo e a todos.

No ano passado, um homem chamado Hank foi a um dos meus cursos. O seu grande problema era com a namorada, que estava sempre atrasada. Ele contara ao grupo vários incidentes que o deixaram perturbado. Sugeri que a razão da perturbação de Hank era o fato de que sua garota estava espelhando um aspecto dele mesmo. Ele nos disse que isso era impossível, embora fosse evidente para todos na sala que Hank não conseguia conviver com essa característica da namorada. A expressão do seu rosto era de um profundo desgosto quando ele contou como ela o deixara esperando horas antes, o que o fez com que ele ficasse com os nervos à flor da pele. Era o início do seminário, e eu não queria apressar Hank, por isso disse-lhe simplesmente: "Aquilo com que você não puder conviver não o deixará em paz". Hank percebia que tinha problemas em aceitar os atrasos da namorada e que estava emocionalmente ligado a isso. Mas, quando lhe perguntei se ele era o tipo de pessoa que sempre se atrasava, a resposta foi: "Absolutamente, não".

Seguimos adiante, passando por vários exercícios, mas 24 horas depois vi que Hank ainda continuava em conflito. Quando o grupo voltou do segundo intervalo, depois de jantar, percebemos que uma das cadeiras estava vazia. Eu tinha pedido a todos que voltassem rapidamente dos intervalos para que não desperdiçássemos um tempo valioso. Estávamos tentando descobrir quem estava faltando, quando alguém disse: "É Hank". Esperamos por alguns minutos; porém, como ele não apareceu, decidimos começar. Na mesma hora, uma mulher na fileira da frente olhou para mim e disse: "Não sei se você notou, mas Hank chega atrasado depois de todos os intervalos. Eu, por mim, já cansei de esperar por ele". De repente, percebemos que Hank estava fazendo conosco o que a namorada dele fazia com ele. Ele nos fazia esperar.

Quando Hank chegou, dez minutos depois, parei o que estava fazendo para verificar se ele estava pronto para enfrentar uma ruptura. Perguntei-lhe se tinha percebido que estava chegando atrasado depois de todos os intervalos. Ele olhou para mim e disse: "Estou só uns minutos atrasado. Qual é o problema?" Todos na sala abriram a boca, sem querer acreditar no que ouviam. Respondi: "Hank, você foi o único do grupo que chegou atrasado depois de cinco intervalos. Algumas pessoas se sentiram desconsideradas, já que perdemos tempo e energia verificando quem estava atrasado e ainda esperando alguns minutos para ver se você chegaria antes que começássemos. Você vê alguma relação entre o que está fazendo conosco e aquilo que a sua namorada faz com você?" Hank se recusou a ver que o fato de se atrasar alguns instantes, qualquer coisa entre três e quinze minutos, era um problema. Ele nos disse que sua garota chegava a se atrasar duas horas, às vezes até mesmo um dia inteiro. "Isso é atraso", disse ele. "Isso é um problema."

Hank criara uma diferença básica, aparentemente racional, entre estar atrasado cinco minutos e estar atrasado horas. Para ele, eram duas coisas diferentes. Pedi que os que concordassem com ele levantassem a mão. Ninguém levantou. Perguntei então quantas pessoas sentiam que Hank estava sendo indelicado por não chegar no horário. Todos levantaram a mão. Era evidente para todos, exceto para Hank, que ele estava fazendo conosco o que a namorada fazia com ele. Atrasado é atrasado, um cafona é um cafona. É o ego que faz a distinção, para se proteger. Alguns dos participantes se levantaram e disseram a Hank que faziam tudo o que estava ao seu alcance para chegar na hora e que esperavam a mesma atitude dos outros. Acrescentei que, se alguém que faça parte da minha vida estiver sempre atrasado e não fizer nada para perder esse hábito, eu desisto de sair com ele. Também disse a Hank que, quando uma pessoa está constantemente atrasada, a mensagem que ela me passa nas entrelinhas é que o meu tempo não tem valor, ou que o tempo dela é mais importante do que o meu. Hank pareceu perturbado e perplexo. Pedi-lhe que fosse para casa, naquela noite, e pensasse sobre o que tínhamos dito.

Na manhã seguinte, Hank chegou na hora. Disse que passara metade da noite fazendo uma lista de todas as vezes em que se atrasara no ano anterior. Ele percebeu que quase sempre chegara atrasado, mas imaginara que, como nunca ultrapassava o tempo de meia hora além do horário marcado, isso não era um problema. Naquele dia, na frente de todos nós, Hank assumiu que costumava se atrasar e que esse comportamento era indelicado. Ainda estava bravo com a namorada, mas percebera que, a seu modo, estava agindo conosco da mesma forma como ela agia com ele. Hank havia enterrado esse aspecto de si mesmo tão profundamente que estava fora do alcance da sua consciência. A indelicadeza não se ajustava ao seu ideal de ego. Mas, assim que Hank se apropriou do seu atraso e de sua indelicadeza, seu rosto relaxou. Ele se rendeu internamente de maneira natural. Estava em condições de conviver com mais aspectos de si mesmo. E, quando falava do comportamento da namorada, não era com aquele tom de total frustração. Hank conseguiu perceber os benefícios de recuperar as projeções que lançara nela, podendo apropriar-se de seus próprios traços. Assim, ficava livre para escolher se queria ou não continuar um relacionamento com uma mulher que estava sempre atrasada.

Hank achava que era uma pessoa cuidadosa e responsável, mas ele precisara atrair um tipo específico de mulher para mostrar-lhe aspectos escondidos dele mesmo. As outras pessoas espelham o que está dentro de nós porque, subconscientemente, estamos provocando isso nelas. É por isso que certo tipo de pessoas e de situações aparecem e reaparecem vezes sem conta em nossa vida. O milagre acontece quando você se apropria de um aspecto seu e o assimila. Nesse ponto, a pessoa que está lhe servindo de espelho também deixará de ter aquele comportamento, ou você será capaz de decidir afastá-la de sua vida. Quando você quebra a conexão, não precisa mais de uma outra pessoa para espelhar a sua sombra, e, como você estará mais inteiro, atrairá de forma natural aqueles que refletem a sua totalidade. Se o nosso propósito, do fundo da alma, é nos tornarmos completos, suscitaremos continuamente aquilo que precisamos enxergar para ser inteiros. À medida que nos apropriarmos de mais partes de nós mesmos, pessoas mais saudáveis aparecerão em nossa vida.

Considere durante algum tempo aquilo que você não quer ter. Quando surgir resistência a alguma coisa, não fuja. Procure em volta até conseguir ver de onde vem a resistência. Preste atenção às críticas que você faz. Anote as ocasiões em que você exibiu essa característica. Se encontrar dificuldade para fazer isso, peça ajuda a um amigo. Lembre-se de que, se você sempre tem em mira um aspecto desagradável de alguém, é porque você tem o mesmo aspecto. Nos meus seminários, quando alguém se apega a um determinado traço e aparentemente não o possui, eu o declaro "um não-assumido". Em geral, isso faz as pessoas darem risada. E quando eles conseguem perceber o "não-assumido" neles mesmos, são capazes de chegar rapidamente à palavra que lhes oferece resistência.

As palavras mais difíceis são as relacionadas com incidentes em que sentimos que alguém se portou de maneira errada conosco. Nosso ego resiste a apropriar-se de características que nos farão desistir de culpar alguém pelas condições de nossa vida. A maioria das pessoas passa um longo tempo armando casos contra aqueles que lhe causaram algum mal. Oprah Winfrey, em um discurso de formatura, disse: "Transforme suas feridas em sabedoria". Em vez de guardar ressentimentos, aprenda com elas. Procure ver como você foi beneficiado por suas mágoas. Para onde elas o conduziram? Quem está em sua vida nesse momento e que poderia não estar se você não tivesse tido uma experiência particularmente infeliz? E de que forma o fato de você se manter apegado aos seus ressentimentos não o impede de realizar seus sonhos? Quando você usa aquilo que o feriu para crescer e aprender, não precisa continuar sendo vítima. Olhe para quem o magoou; examine que aspectos da pessoa se ligam a você. E, quando conseguir descobrir essas coisas dentro de você mesmo, não se sentirá mais preso a outra pessoa ou atingido por ela.

Existe uma história *zen* sobre dois monges que, voltando para casa, chegaram às margens de um rio em que havia uma correnteza muito forte. Quando se aproximaram do rio, eles viram uma mocinha que não conseguia atravessar. Um dos monges pegou-a nos braços, carregou-a em meio às águas agitadas e depositou-a em segurança do outro lado. Então, os dois seguiram viagem. Finalmente, o monge que atravessara o rio sozinho não agüentou mais e começou a repreender o irmão: "Você sabe que é contra nossas regras tocar numa mulher. Você quebrou nossos votos sagrados". O irmão respondeu: "Irmão, eu deixei a mocinha junto à margem do rio. Você ainda a está carregando?"

Quando você se prende a velhas feridas, continua na estrada carregando aquele fardo. Recentemente, trabalhei com uma moça muito bonita chamada Morgan, que estava com câncer no estômago. Quando ela veio me ver, encontrava-se bastante abatida e com pouca vontade de viver, resignando-se com a doença que acabaria por matá-la. Morgan estava cheia de raiva. Odiava a mãe pelo ciclo contínuo de maus-tratos físicos e emocionais que havia marcado a relação entre as duas. Apesar de estar com pouco mais de 30 anos e de haver participado de muitos seminários de auto-ajuda, ela não conseguira se livrar da hostilidade e da aversão que sentia pela mãe. Assim, Morgan e eu decidimos que, apesar do seu estado de saúde muito debilitado, ela tentaria acompanhar meu seminário e trabalhar a liberação das emoções que a envenenavam.

A certa altura, em meus seminários, eu peço a todos que escrevam as cinco palavras que expressam o que há de mais difícil para eles assumirem. Fazemos então um exercício de espelhamento com parceiros, até que cada pessoa não sinta mais nenhuma carga emocional em relação a nenhuma das cinco qualidades. Por exemplo, se uma das minhas palavras fosse "incompetente", eu poderia dizer: "Sou uma incompetente", e meu parceiro, olhando bem no fundo dos meus olhos, diria: "Você é uma incompetente". E então eu repetiria: "Sou uma incompetente", e ele repetiria: "Você é uma incompetente". Isso continuaria até que eu não me importasse mais com o fato de ser incompetente ou de você me chamar de incompetente. O fato de dizer a palavra em voz alta, diversas vezes, quebra a nossa resistência em ser chamado de determinada coisa e de assumir essa qualidade.

Antes de começarmos, eu normalmente dou uma volta pela sala e verifico as listas das pessoas, porque elas costumam deixar de fora palavras que estão evidentes para os demais participantes mas que permanecem ocultas para elas mesmas. Quando cheguei no lugar de Morgan, ela estava ocupada com suas palavras, mas percebi que um termo que ela sempre usava quando se referia à mãe não constava da lista. Sabendo que isso era uma coisa muito importante para ela assumir, eu disse à parceira de Morgan para trabalhar com a palavra "louca".

Morgan olhou para mim, aborrecida. Ela me disse: "Não sou louca, e você sabe disso". Uma vez mais lhe repeti que somos tudo, e, então, ela não poderia deixar de ser louca. Disse-lhe que ela poderia me chamar de louca que eu não daria a mínima importância a isso. A parceira de Morgan também não se importava de ser chamada de louca. Morgan se contorceu, depois chorou, em seguida disse que achava que ia vomitar. Ela não era capaz de dizer que era louca. A palavra não conseguia sair de sua boca. Eu e a parceira de Morgan olhamos para ela e gritamos: "Louca! Diga! Assuma isso, Morgan! Louca!" Perguntei-lhe: "Morgan, diga-me, quando na sua vida você se comportou como uma louca?" Morgan narrou diversos incidentes que claramente poderiam ser considerados insanos, mas a palavra "louca" ainda a bloqueava. Tudo o que eu queria ouvir da parte dela era: "Sou louca". Eu sabia que, se ela conseguisse repetir essa palavra um número suficiente de vezes, o termo perderia toda a energia e o domínio que tivera sobre a vida dela. Aquilo que tememos sempre aparece. E, para Morgan, a loucura surgira sob a forma de doença. Ela não tinha liberdade. Porém, agora, estava prestes a assumir seu maior medo e seu pesadelo. Naquela noite, Morgan foi para casa conseguindo dizer: "Sou louca", mas ainda não era capaz de sentir isso em sua plenitude. Mais tarde, depois de um banho quente e algumas horas de repetição da palavra, ela conseguiu. Poucos meses depois, ela me escreveu uma carta:

> Para assumir minha loucura, precisei vencer todos os medos e tudo aquilo que vivi na infância que eu associava com a loucura. Tive que incorporá-la e deixá-la ir embora. No momento em que a incorporei, caí de joelhos e comecei a rezar. Senhor Deus, remova a película que recobre meus olhos, deixe-me ver somente beleza em minha mãe. Durante os 45 minutos seguintes, rezei com o mais autêntico fervor para remover o juízo que eu fazia de minha mãe e de mim mesma, para aceitar que ela fizera o melhor que podia. Rezei para que eu conseguisse perdoar a mim mesma por ter blasfemado inconscientemente, por

ter sido prejudicial a mim mesma, por não ter me amado e por ter ficado doente. Senti-me tomada por uma estranha paz. Antes de passar por esse processo, o simples fato de pensar em minha mãe me faria encolher de medo e me deixaria tensa; agora tudo o que sinto é paz. O exercício abriu o portão, e eu passei por ele. O câncer parou de se espalhar e começa lentamente a retroceder.

Morgan está livre do câncer. Os exames não mostram mais sinais da doença. Quando ela parou de odiar aspectos de si mesma, foi capaz de perdoar a si e à sua mãe. Hoje, ela me conta que o mais difícil no processo todo foi se apropriar da palavra "louca". Seus olhos estavam selados quando chegou a hora de ela ver a mãe dentro dela, mas, assim que se deu conta de que estava morrendo de ressentimento, permitiu a si mesma assumir a totalidade do seu ser. Apropriar-se da sombra restaura a tendência natural do corpo a se recompor como um todo. Quando você está completo, fica curado.

A transformação leva segundos; é uma mudança de percepção, uma troca das lentes através das quais você está olhando. Se olharmos para o mundo como se fôssemos um martelo, tudo parecerá um prego. Se passarmos de martelo a parafuso, então tudo ficará semelhante a uma porca. Nossas percepções são sempre distorcidas pelo que vemos em nós mesmos e pelas decisões que tomamos sobre o que é bom ou ruim, certo e errado, do que gostamos ou não. Se você mudar as lentes de "eu estou no mundo" para "eu sou o mundo", compreenderá que não só é bom ser tudo, mas é essencial.

Sei que esse é um conceito difícil para a maioria das pessoas aceitarem. Fomos ensinados a nunca dizer coisas negativas a nosso respeito. Se eu acordar me sentindo imprestável, espera-se que eu faça de conta que não estou me sentindo desse jeito. Devo dizer a mim mesma que tenho valor e que espero me sentir melhor com o correr do dia. Sou obrigada a ir trabalhar fingindo que me sinto capaz porque não é certo sentir-me inútil. Durante todo o dia, preciso me esconder atrás da minha máscara de merecimento, esperando que ninguém veja através dela. Mas, lá dentro, sinto um desespero silencioso por saber que não estou sendo eu mesma, tudo porque não consigo assumir a minha inutilidade. Resistimos a esse aspecto de nós mesmos e fazemos críticas sobre o tipo de pessoa que é imprestável. Ouvimos declarações que confirmam isso e que nos fazem sentir bem. Mas, como digo sempre às pessoas em minhas preleções, se colocarmos uma cobertura de sorvete sobre algum excremento, depois de algumas colheradas sentiremos o gosto do excremento. Ao integrar traços negativos em nós mesmos, não precisaremos mais da confirmação de ninguém, porque saberemos que somos tanto inúteis quanto capazes, feios e bonitos, preguiçosos e diligentes. Enquanto acreditarmos que só podemos ser uma coisa ou outra, continuaremos nossa luta interior para ser apenas a coisa certa. Quando achamos que somos apenas fracos, grosseiros e egoístas – traços que julgamos que nossos amigos e familiares não possuem –, ficamos envergonhados. Mas se você sentir que tem todos os traços de caráter do Universo, entenderá que cada aspecto de si mesmo tem alguma coisa a lhe ensinar. Esses professores lhe darão acesso a toda a sabedoria do mundo.

Algumas vezes, para poder se apropriar de um traço de caráter, você precisa liberar alguma raiva armazenada – contra você ou contra os outros. As pessoas me perguntam se está certo ficar com raiva de si mesmo. Minha resposta é que tudo o que você sentir está certo. Permita-se sentir e expressar tudo o que está dentro de você. Para ser capaz de se amar com sinceridade, para ter piedade de você mesmo e dos outros, você tem de pôr toda essa emoção negativa para fora. Você merece expressar suas emoções de uma maneira saudável. Só não deve expressar suas emoções quando isso magoar outra pessoa.

Gritar é uma boa forma de liberar as emoções reprimidas. Costumamos abafar a voz, impedindo-nos de usar toda a nossa capacidade vocal. Quando você se permite gritar com todas as forças, consegue realmente limpar suas energias reprimidas. Caso não queira incomodar ninguém, grite contra um travesseiro. Se você nunca gritou de verdade, ou cresceu numa casa em que se gritava muito, talvez tenha decidido que gritar é errado. Nesse ponto, voltamos ao "aquilo com que você não puder conviver não o deixará em paz". Portanto, grite. É muito importante entrar em contato com todo o seu arsenal de emoções.

Participou de um de meus seminários uma bela senhora, já perto dos 70 anos, que nunca levantara a voz em toda a sua vida. Janet jamais gritara nem praguejara. O pai dela incutira em sua mente que pessoas bem-educadas não faziam isso e, se ela quisesse ser respeitada e amada por ele, deveria obedecer às suas regras. Durante sessenta anos, Janet fez exatamente aquilo que lhe fora dito, até que passou a sofrer de pólipos recorrentes na garganta. Quando ela, afinal, me procurou, estava pronta para liberar toda a emoção que ficara represada dentro dela e desobedecer ao pai. Ela chegara à conclusão de que a causa de seus problemas de saúde era a emoção reprimida. Ainda assim, mal conseguia falar um pouco mais alto.

Durante cinco dias nós gritamos, berramos e praguejamos. Até que chegou o momento em que mandamos todo mundo para aquele lugar. Que alívio! O corpo todo de Janet tremeu. No dia seguinte, ela passou o dia inteiro exibindo um sorriso enorme. Janet precisara de toda a sua coragem para fazer esse exercício, embora o pai dela tivesse morrido havia muito tempo. Seis meses depois, Janet sentia-se ótima, e sua garganta estava completamente limpa. Ela estava se expressando com alegria, sentindo que, por fim, fizera as pazes consigo mesma e com o pai. Desde que não magoemos ninguém, devemos expressar nossa raiva com prazer. Quando você estiver face a face com um aspecto seu que você odeia, expresse-o. Expresse-o com a intenção de liberar todas as suas críticas, sua vergonha, sua dor e sua resistência em recuperar esse aspecto seu que você rejeitou.

Meu jeito favorito de liberar a raiva é dar pancadas com um bastão. Pego um bastão de plástico e algumas almofadas. Então me ajoelho diante da pilha de almofadas, levanto o bastão acima da cabeça e bato nas almofadas com toda a força. Imagino que a minha pilha é qualquer traço de caráter ao qual eu resisti e golpeio com firmeza. Depois de liberar toda a emoção, fica muito mais fácil ir até o espelho e assumir aquele traço.

Se o incorporarmos internamente, não precisaremos mais criá-lo externamente. Uma das minhas melhores amigas, Jennifer, estava convencida de que estava sendo seguida. Jennifer via a mesma mulher em todos os eventos públicos a que comparecia. Tinha certeza de que aquela mulher a estava seguindo. "Ela é má!", Jennifer me disse. É claro que, como a boa amiga que sou, disse a Jennifer: "Você é má". Ela ficou furiosa comigo e desligou o telefone, gritando: "Eu não sou má!" Durante quase um ano, aquela mulher continuou aparecendo em todos os lugares a que Jennifer ia e sempre arruinava a noite da minha amiga. No final daquele ano, Jennifer foi ao Havaí para uma conferência. Ela tinha ficado na expectativa daquele evento por meses. Sem dúvida nenhuma, já na primeira palestra, a mulher apareceu. Jennifer ficou horrorizada e me telefonou do Havaí: "O que eu preciso fazer para me livrar dessa mulher?" Eu lhe disse que aquela mulher devia estar espelhando um aspecto rejeitado dela mesma. Evidentemente, Jennifer devia ter alguma coisa que a tornava tão ligada àquela mulher. Perguntei a ela: "Que idéia você faz sobre ser má?" Jennifer me respondeu que logicamente era terrível ser má, e que pessoas más faziam coisas ruins. Tentamos refletir sobre as vezes em que ela fora má, e ela se lembrou de diversos incidentes em que fizera coisas mesquinhas contra sua irmãzinha e que podiam ser consideradas más. Ela se sentira profundamente envergonhada daqueles momentos e decidira ser uma boa pessoa. Na mente dela, pessoas boas não podiam fazer coisas más. Eu lhe expliquei que não é possível conhecer o bem sem conhecer o mal, da mesma forma que não conhecemos o amor sem sentirmos o ódio. Se formos capazes de ter o mal ou o ódio em nós mesmos, não precisaremos projetá-los nos outros.

Eu disse a Jennifer para tentar ficar diante do espelho do banheiro dizendo a si mesma: "Eu sou má", até que não fosse mais importante negar esse aspecto. Depois de uma hora na frente do espelho, Jennifer estava tão brava que se sentou e escreveu uma carta para a mulher que ela julgava estar seguindo-a. Jennifer se permitiu xingar a mulher com os nomes mais grosseiros de que ela conseguiu se lembrar, para expressar toda a sua raiva. Foi completamente honesta, e assim conseguiu se sentir aliviada e melhor. Jennifer precisara dar voz à sua dor e à sua raiva. Depois de escrever a carta, rasgou-a em pedacinhos, voltou ao espelho e se apropriou da sua maldade. Já que conseguira encarar aquele seu traço de caráter, ela podia também encarar a outra mulher. Ela conseguira quebrar a conexão. Quando Jennifer viu a mulher, no dia seguinte, cumprimentou-a e passou adiante sem sentir mais nada. Nunca mais viu a mulher. Isso é liberdade.

A dor de perceber nossas falhas nos leva a encobri-las. Quando negamos certos aspectos de nós mesmos, fazemos a compensação tornando-nos o oposto. Criamos então *personas* completas para provar a nós mesmos e aos outros que não somos daquele jeito. Ao visitar, recentemente, uma grande amiga, comecei a falar com o pai dela sobre meu trabalho. Norman é um exemplo perfeito desse fenômeno. Intrigado, ele me pediu que mostrasse a ele o que eu fazia. Assim, disse-lhe para apresentar duas palavras que ele queria que nunca fossem ditas sobre ele nos jornais. Respondeu-me que não queria ser chamado de chato e de burro. "Exatamente", eu disse. "Ninguém que o conheça hoje em dia diria que você é chato ou burro." Como sempre pusera a família em primeiro lugar,

Norman jamais tivera tempo para terminar seus estudos. Mas, depois da morte da mulher, com quem ficara casado por mais de trinta anos, Norman voltou à faculdade para fazer o mestrado. Matriculou-se num curso da universidade próxima à sua casa e ia de bicicleta para a faculdade todos os dias. Depois de se graduar com louvor, começou a trabalhar para atingir seu doutorado. Quando não está na escola, Norman viaja por todo o país, freqüentando conferências e palestras sobre saúde física e o processo de envelhecimento. Recentemente, ele passou um mês num retiro budista para entrar em contato com sua espiritualidade. Como poderia alguém que se encontrasse com Norman considerá-lo chato ou burro? Todo o mundo que conheço o chamaria de corajoso, interessante e brilhante. Mas a decisão de Norman de não ser chato ou burro verdadeiramente rege sua vida, o que faz com que ele esteja sempre competindo consigo mesmo para provar que não é chato nem burro. Não importa o quanto se esforce, ele precisa sempre fazer mais para mostrar ao mundo que é esperto e interessante, assegurando-se de nunca se expor.

Foi bastante fácil para Norman reconhecer como sua vida é dirigida pelas palavras "chato" e "burro". Ele sempre sente que, não importa o que ele consiga na vida, nada é suficiente. A ironia, é claro, é que "chato" e "burro" deram a ele um impulso enorme e muita determinação, forçando-o a procurar pessoas e lugares interessantes. Se Norman não tivesse tamanha aversão por essas palavras, eu não sei se teria tido energia para conseguir tudo o que conseguiu nos últimos quatro anos. Ele percebeu os benefícios desses dois aspectos e compreendeu que ele mesmo é tudo. Como reconhecer a esperteza se não soubermos o que é a burrice? Como perceber o que é ser interessante sem ter conhecido o chato?

Quando você é regido internamente pelo fato de não querer ser alguma coisa, em geral você se torna o oposto. Isso lhe tira o direito de escolher o que, de fato, quer fazer de sua vida. Norman não tem liberdade para tirar uma folga e passar as férias com os amigos. Ele não lê um romance nem passa uma noite jogando baralho com medo de se tornar um velho chato e burro. Ele não consegue avaliar se essas atividades são melhores para a sua saúde ou para a sua alma. Quando você não se apropria de um aspecto seu, ele passa a dirigir sua vida.

Se olharmos bem de perto, todos nós podemos ver onde somos chatos e burros. Se formos honestos, e não estivermos revelando esses aspectos atualmente, então devemos identificar uma ocasião em que tenhamos sido chatos ou burros, no passado. Nossas opiniões a respeito de nós mesmos são as mais importantes. Se nos sentimos bem em relação à nossa vida, raramente nos importamos com o que os outros dizem. No caso de Norman, ele passara os últimos três anos enterrado nos livros, trabalhando febrilmente para estar entre os primeiros da classe. Algumas pessoas até podem dizer que ele é chato, porque tudo o que faz é estudar. Outros talvez digam que ele é burro, por estar perdendo tempo em ir à faculdade. Até que Norman consiga amar a parte dele que é chata e burra e integrar esses aspectos em sua psique, continuará se esforçando para provar ao mundo que ele é esperto e interessante. Exaurimos nossas fontes internas quando tentamos *não* ser alguma coisa.

Estamos aqui para aprender com todas as partes de nós mesmos e para fazer as pazes com elas. Para sermos pessoas verdadeiramente autênticas, precisamos admitir nossos aspectos que amamos e aceitar a coexistência deles com todos os outros aspectos que consideramos errados. Quando conseguimos segurar com amor todos esses traços juntos em uma só mão, sem críticas, eles se integram de forma natural em nosso sistema. Então podemos arrancar as máscaras e confiar no fato de que o Universo criou cada um de nós com um desígnio divino, e assim permanecemos elevados, incorporando o mundo dentro de nós.

EXERCÍCIOS

Para sermos completamente livres, temos de ser capazes de nos apropriar de todas as qualidades que nos incomodam nos outros e incorporá-las.

1. Consulte sua lista de palavras do Exercício 1 do Capítulo 4. Sente-se ou ponha-se à frente de um espelho e pronuncie cada palavra diversas vezes: "Eu sou [aquele traço de caráter]". Repita-a até que a energia que envolve a palavra desapareça. Isso funciona. Nunca vi esse exercício falhar com ninguém que estivesse empenhado em se apropriar de uma característica. Se você se liga a alguém que apresenta esse traço e sente ódio ou raiva por essa pessoa ou é excluído por ter essa característica, fique um tempo diante do espelho, depois sente-se e escreva uma carta enfurecida a esse determinado traço. Expressar a raiva desse modo é saudável. Essas cartas são só para os seus olhos, você não vai enviá-las nem lê-las para ninguém. Escrevê-las é uma forma de liberar suas emoções reprimidas. Se você não sabe o que dizer, comece com: "Estou com raiva de você porque...", e então escreva, sem pensar, tão rapidamente quanto conseguir. Escreva qualquer coisa que lhe vier à mente. Não se preocupe com a gramática ou em dar sentido às frases. Concentre-se apenas em liberar velhas emoções e em desintoxicar-se.

Este exercício é um meio de descarregar emoções nocivas armazenadas em nossos corpos. Se surgirem sensações durante o processo, fique com elas. Você pode encontrar dificuldade para dizer, especialmente, aquelas palavras cujo julgamento tiver sido mais severo. Mesmo se estiver chorando, continue o exercício, e logo perceberá que a palavra se libertou da carga que pesava sobre ela.

2. Usando a mesma lista de palavras, procure localizar as vezes em sua vida em que demonstrou esses traços de caráter. Se não conseguir se lembrar de nenhuma vez, pergunte a si mesmo em que circunstâncias você admite que possa chegar a demonstrar esse traço. Alguma pessoa já disse que eu demonstrei essa característica? Escreva suas respostas junto a cada palavra.

7

Assimile o Seu Lado Sombrio

A maioria das pessoas almeja encontrar a paz de espírito. Essa é a busca de uma vida, uma tarefa que requer nada menos do que aceitar a totalidade do seu ser. Descobrir benefícios até nas qualidades que mais odiamos é um processo criativo que necessita apenas do desejo profundo de ouvir e aprender, da vontade de liberar crenças e juízos anômalos e da prontidão para se sentir melhor. Seu verdadeiro eu não julga. Somente o ego guiado pelo medo cria juízos para nos proteger – proteção essa que, ironicamente, nos impede de chegar à realização pessoal. Precisamos estar preparados para amar tudo aquilo de que temos medo. "Meus ressentimentos escondem a luz do mundo", como está escrito em *Um Curso de Milagres*.

Para vencer o seu ego e as suas defesas, você tem que permanecer calmo, ser corajoso e ouvir suas vozes interiores. Atrás de nossas máscaras sociais estão escondidos milhares de rostos. Cada um deles tem uma personalidade própria. Cada personalidade tem características próprias e particulares. Ao manter diálogos interiores com essas subpersonalidades, você converterá seus preconceitos e juízos egotistas em tesouros sem preço. Quando você aceita as mensagens de cada aspecto de sua sombra, começa a recuperar o poder que vinha entregando aos outros e estabelece um elo de confiança com seu autêntico eu. As vozes de suas qualidades não assumidas, quando forem admitidas em sua consciência, devolverão a você o equilíbrio e a harmonia em seus ritmos naturais. Restaurarão sua capacidade de resolver os próprios problemas e deixarão claro qual é o propósito da sua vida. Essas mensagens levarão você a descobrir o amor e a compaixão autênticos.

Até eu começar a me comunicar com minhas subpersonalidades, tinha de contar com os outros para descobrir o que estava errado comigo. Passei por vários terapeutas. Consultei médiuns espíritas, cartomantes e astrólogos, à procura das respostas de que precisava. Se eu sentisse que havia algo de errado comigo, se estivesse brava ou triste ou exageradamente alegre, sentia necessidade de telefonar ou pagar para alguém a fim de que me dissessem o que estava acontecendo. Que jeito de viver! Caso eles me dissessem alguma coisa que eu desejava ouvir, eu os julgava brilhantes. Mas, quando me diziam o que eu não queria ouvir, saía em busca de outra pessoa, e mais outra, até conseguir a resposta que procurava.

Eu tinha certeza de que existia um outro modo de viver. Por que Deus nos faria de tal forma que fôssemos incapazes de entender a nós mesmos? Ou que teríamos de pagar a alguém para nos falar sobre nós mesmos? Agora percebo que fomos brilhantemente projetados para nos curar e voltar à plenitude do nosso ser. Mas às vezes podemos dar uma ajudazinha. Falar com nossas subpersonalidades é um excelente exercício para adiantar o processo.

Examinar nossas subpersonalidades é um instrumento que nos ajuda a recuperar as partes perdidas de nós mesmos. Primeiro precisamos identificá-las e dar-lhes nomes, então estaremos prontos para nos desligar delas. Na verdade, nomeá-las cria distâncias. Robert Assagioli, fundador da psicossíntese, diz que "somos dominados por tudo aquilo com que o nosso ser se identifica. Conseguimos dominar e controlar tudo o que não identificamos conosco". Se eu separar uma das minhas características de que não gosto, por exemplo *queixosa*, e então a chamar de Wanda Queixosa, de repente ela me parecerá menos assustadora. O engraçado é que, assim que falo nos meus aspectos, passo a sentir ternura por eles. Sou capaz então de assumir uma posição à distância e olhar para eles objetivamente. Esse processo começa a afrouxar o controle que esses comportamentos exerciam sobre a minha vida.

Minha primeira experiência com subpersonalidades foi numa aula de psicologia transpessoal na Universidade JFK, em Orinda, Califórnia. A cada semana, aprendíamos e vivíamos, verdadeiramente, um modelo diferente de terapia. A semana da psicossíntese mudou minha vida. Estabeleci um diálogo com os diferentes aspectos de mim mesma, que passamos a chamar de subpersonalidades, e comecei a descobrir quem elas eram e do que precisavam para formar um todo. O objetivo, é claro, era descobrir quais eram seus benefícios correspondentes. E, ao descobrir cada benefício, encontrei a aceitação de cada parte rejeitada de mim mesma.

Nossa professora, Susanne, começou com uma visualização que nos colocava numa viagem imaginária de ônibus. Ela nos pediu para pensar num ônibus cheio de gente. No meu ônibus imaginário, vi diferentes tipos de pessoa. Algumas eram velhas, outras, novas. Estavam vestidas de todo jeito, de minissaias a calças boca-de-sino. Vi moças gordas, mocinhas franzinas, moças de cabelos pretos, cabelos vermelhos, seios fartos e peito achatado. Eu as vi de todas as formas e tamanhos possíveis: baixas, altas, gente de circo, pessoas de todas as raças e nacionalidades. Havia escroques e santos. Era um grande ônibus, cheio de pessoas, muitas das quais eu não queria conhecer. Meu primeiro pensamento foi: "Ah, não! Você precisa imaginar coisa melhor do que isso". Susanne nos informou que deveríamos travar conhecimento com todas as pessoas que estavam no ônibus, tanto aquelas de quem gostássemos como as outras.

Cada um desses passageiros representava um aspecto de mim mesma que me ofereceria uma dádiva especial. Estavam todos lá, oferecendo alguma coisa única; bastava que eu conversasse com eles e prestasse atenção em sua sabedoria. Disseram-nos para sair do ônibus com uma de nossas subpersonalidades. E lá estava a Fabiona Faladeira, procurando segurar a minha mão. Ela foi a primeira subpersonalidade que quis conversar comigo. Quando vi seu rosto, pensei: "Não vou passear com essa mulher, de jeito nenhum. Vou procurar outra subpersonalidade para sair do ônibus comigo". Fabi tinha um metro e meio de altura e noventa quilos de peso; estava na casa dos 60 e era o meu pior pesadelo em termos de aparência. Seu cabelo grisalho era ralo, malcortado e ficava espetado na frente do rosto. Ela fedia a laquê e cigarro. Usava um vestido largo e solto, bege com bolinhas laranja. Trazia nos ombros um suéter bege de poliéster, preso por um broche velho e enferrujado. Tinha pernas gordas, as meias estavam desfiadas e os sapatos eram de plástico, já bem gastos.

Meus olhos corriam à volta, procurando alguém que me salvasse da Fabiona. Ninguém se oferecia. Fabi parecia chateada e, finalmente, agarrou a minha mão e me puxou para fora do ônibus. Sentamo-nos num banco, ali perto, e ela começou a falar. Disse-me que era uma das minhas subpersonalidades e que eu teria de aprender a conviver com ela. Disse-me que não iria embora e que, se eu abrisse minha mente fechada, veria que ela tinha muito a oferecer. Susanne, então, me orientou para perguntar a Fabiona o que ela tinha para me ensinar. Fabiona me disse para não julgar as pessoas pela aparência. Contou-me que enxergava diretamente através da minha fingida *persona* espiritual. Eu quis protestar, mas, antes que começasse, percebi que tinha tanto preconceito contra Fabiona que, ao vê-la, eu não queria falar com ela nem na privacidade da minha mente.

Fabiona prosseguiu dizendo que eu não conseguiria nem um passo a mais no meu desenvolvimento espiritual se não lidasse com esse problema. Ela me fez lembrar que eu sempre criticara os que considerava gordos, e que as únicas pessoas que admitia na minha vida eram aquelas cuja aparência exterior me deixava à vontade. No fundo, eu sabia que Fabi tinha razão. Sempre tivera a pretensão de estar envolvida espiritualmente e de não ser dominada por coisas exteriores como aparência, mas eu mentia a mim mesma. Imaginava ter acabado com esse tipo de comportamento anos atrás, porque já trabalhara essa questão anteriormente. Mas ali estava Fabiona, dizendo-me para despertar, pois ainda havia muito trabalho a fazer. Susanne nos disse para perguntar às nossas subpersonalidades quais eram as dádivas que nos traziam. Fabiona disse que a sua dádiva era a inteireza. Se eu realmente acreditasse que fazia parte do Universo holográfico, teria de aceitá-la, quer gostasse dela ou não. Ela me disse que eu teria de olhar com amor e compaixão bem dentro dos olhos de quem encontrasse para poder ver inteiramente o meu eu. E, por último, me revelou que encontrá-la fora um dos fatos mais importantes da minha vida. Ela estava certa.

Fabiona Faladeira foi uma criação da minha psique, baseada num aspecto meu que eu não conseguia aceitar. Por meio dessa visualização orientada, ela foi capaz de se expressar e de me ensinar uma grande lição. Levei meses para completar integralmente a minha experiência. Tudo a respeito dela era tão real, tão puro, tão natural! Como era possível que essa pessoa fizesse parte do meu subconsciente? De onde ela viera, como conseguia ser tão sábia? Eu não parava de me fazer essas perguntas. Eu queria mais de Fabi, apesar de ter resistido tanto a aceitá-la.

Lentamente, reuni coragem e fui para a parte de trás do meu ônibus a fim de encontrar mais gente. Eu me conduzi pela visualização e perguntei qual das minhas subpersonalidades queria sair para me encontrar. No meu primeiro encontro a sós com esse grupo turbulento, Zilda Zangada saiu para me cumprimentar. Ela era pequena e frágil, com cabelos ruivos brilhantes, grossos e eriçados, espetados para cima. Suas primeiras palavras foram: "Embora pequena, eu sou durona; portanto, nem pense em trapacear comigo". Zilda me disse que estava cansada das minhas tentativas para livrar-me dela e que, provavelmente, ela era a melhor amiga que eu já tivera. Minha raiva estava ali para me guiar, para me avisar, e, quando eu estava em perigo, Zilda gritava em meu rosto. Como eu sempre ignorara suas deixas, ela era obrigada a agir e a gritar com todos à minha volta para conseguir a minha atenção. Ela me disse que a dádiva dela para mim era uma forte intuição que poderia me levar a relacionamentos saudáveis, e que, se eu raramente vivera relacionamentos saudáveis, era porque estava muito ocupada falando em vez de ouvir minhas vozes interiores.

Uma vez que eu sempre acreditara ter expressado minha raiva de maneira errada, era difícil abraçar Zilda Zangada. Eu tentara me livrar da minha raiva durante anos. Mas Zilda não tinha de desaparecer; ela precisava de aceitação e amor. Ela queria que eu ouvisse o meu coração em vez da minha mente. Quando comecei a pensar em Zilda como uma aliada, ela foi se acalmando. Saudáveis, sensíveis expressões de raiva substituíram minhas explosões incontroláveis.

Em seguida, encontrei Dora Devoradora, que comia bolos de chocolate inteiros, e Odete Ordinária, que gostava de usar saias muito curtas e tinha um vocabulário pesado. Dora Devoradora se aproximou, gingando como uma pata, para me contar que era muito amiga de Fabi Faladeira. O benefício que ela me trazia era a compaixão e a correlação íntima com todos os outros seres humanos. Ela me disse também para ir mais devagar e prestar atenção em mim mesma; que eu não tinha consciência da velocidade do meu ritmo de vida. Sou mesmo uma máquina de fazer coisas, e ela é a única que devaneia, empanturrando-se de comida para se sentir bem lastreada. Odete Ordinária, por outro lado, trouxe o benefício da graça. Ela queria que eu me tratasse regiamente e me comportasse de uma maneira digna. Quando eu não agia assim, ela explodia, e era obrigada a agir tornando-se o centro das atenções. Como eu explorei o lado positivo de todos esses traços e comecei a incorporá-los, eles pararam de dirigir minha vida. Foram meus grandes professores psíquicos. Tão logo correspondi às suas exigências para que os amasse ou apenas para diminuir o ritmo de vida, eles se tornaram partes integrantes de minha consciência e enriqueceram meu senso de amor-próprio e inteireza. Ao incorporar essas qualidades, deixei de ter necessidade de comer um pote inteiro de sorvete ou de usar saias curtas demais. Assim que aceitei minhas novas amigas, elas pararam de se exibir em minha vida.

Aprendi essa técnica quando morava em San Francisco com um homem chamado Rich. Descobrimos que era divertido falar sobre as nossas sombras. Durante uma longa viagem, fizemos uma lista das subpersonalidades de cada um que costumavam aparecer com freqüência no nosso relacionamento. Era qualquer coisa assim:

DEBBIE
Telma Teimosa
Zilda Zangada
Dirce Dominadora
Rita Revisora
Princesa Paulina

Iolanda Yogue
Carol Controladora
Amanda Amante
Jussara Justiceira

RICH
Dimitri Dominador
Sócrates Sabe-Tudo
Júnior do-meu-Jeito
Joca Jogador
Amado Amante
Carlos Competente
Professor Praxedes

Rimos muito quando pusemos as listas lado a lado, mas encontramos um jeito sério para falar das partes um do outro que aparentemente eram mais difíceis de lidar, sem criar nenhum mal-estar em nosso relacionamento. Quando as questões afloravam, eu conseguia parar de apontar meu dedo acusador para Rich. Em vez de dizer: "Você está tentando me dominar, e eu não gosto disso", eu podia dizer: "Acho que Dimitri Dominador está arregaçando as mangas. Dá para você conversar com ele por mim?" Isso aliviava automaticamente a tensão entre nós, porque não parecia um ataque pessoal. Se eu começasse a corrigir tudo o que Rich me dizia, o que eu costumava fazer, ele podia dizer para Rita Revisora que não estava com disposição de ser corrigido. Eu não levava isso para o lado pessoal, apesar de que levar as coisas para o lado pessoal sempre fora um dos maiores problemas em meus relacionamentos.

As subpersonalidades revelam os comportamentos que consideramos inaceitáveis em nós mesmos. Numa determinada época, nós os descartamos porque não éramos capazes de aceitá-los ou não queríamos fazer isso. Como eu tinha deixado do lado de fora certas partes de mim, não tinha contato com a totalidade do meu ser. Quando olhei para dentro, constatei que aqueles traços de caráter gritavam pedindo minha atenção. E eles me guiaram rumo ao próximo passo para a transformação da minha vida. Acabei crendo que temos tantas subpersonalidades quanto traços. Revelei pelo menos uma centena dos meus e, em qualquer momento que olhe, sou capaz de descobrir um rosto novo, uma voz nova e uma nova mensagem. Mesmo as mais sombrias subpersonalidades criam benefícios. Precisamos apenas estar dispostos a passar algum tempo com cada uma delas para ouvir a voz de sua sabedoria.

Para explorar seu mundo interior, você tem de estar disposto a usar seu tempo. Em *Conversations with God*, de Neale Donald Walsch, Deus nos faz lembrar de que: "Se você não for para dentro, vai ficar de fora". Caso você leve essa mensagem a sério, ela pode mudar sua vida. Ao entrar em você mesmo e formar um relacionamento com todo o seu ser, você começa a perceber que tem habilidade para dirigir sua vida na direção que escolher. Não há presente maior que você possa se dar. Então, quando disser: "Quero mais dinheiro, mais amor, mais criatividade, mais amigos ou um corpo mais sadio", você terá a fé necessária para manifestar isso.

A confiança é sempre o maior problema quando você começa a dialogar com suas vozes interiores. A questão mais comum parece ser: "Como posso saber se estou ouvindo de fato a minha verdade interior?" Depois de algumas visitas a suas subpersonalidades, fica fácil distinguir se você está falando com uma subpersonalidade ou ouvindo uma tagarelice negativa. Sua voz interior negativa raramente tem uma mensagem positiva ou benéfica para você. Há muitas formas de se ajudar a chegar num lugar interior autêntico. A meditação pode ser um meio ideal para acalmar a mente e seu falatório negativo. Se não tiver uma técnica regular de meditação, uma fita de vídeo com essa finalidade o ajudará. Com alguém para orientá-lo nas séries de técnicas de respiração e relaxamento, ficará mais fácil para você escapulir da sua cabeça. Uma outra forma fácil e rápida que você deve tentar é a dança. Ponha uma música suave e bonita e se deixe levar por, mais ou menos, meia hora. Sente-se, então, feche os olhos e comece a acompanhar sua respiração. Se estiver num lugar verdadeiramente calmo, você começará a distinguir entre a mente e o coração. Isso requer alguma prática, mas, uma vez feita essa distinção, o processo de descobrir e explorar suas subpersonalidades se tornará muito mais simples. Sua mente pode ser insensível. Seu coração, embora, às vezes, direto e obstinado, estará sempre cheio de compaixão.

É importante receber suas subpersonalidades com os braços abertos. Isso é fácil de dizer, mas nem sempre fácil de fazer. Esse é o momento em que esperarmos o pior talvez funcione a nosso favor, e o que alcançarmos provavelmente será melhor do que imaginávamos. As pessoas costumam ficar chocadas com o elenco de caracteres que atendem ao seu chamado, mas isso acontece porque, em geral, elas esperam um ônibus cheio de anjos. As subpersonalidades podem não ter cabeça ou assemelhar-se a animais, monstros ou alienígenas. O que quer que você experimente em sua psique durante uma visualização, será a imagem perfeita para você. É muito importante não julgar quem você encontrou ou a experiência pela qual você passou.

Também é muito comum ver pessoas que você conhece – ex-amantes, antigos chefes, membros da família. Normalmente, alguém com quem você não se deu bem. Quando esses rostos familiares aparecerem em seu subconsciente, resista ao impulso de querer descartá-los. Fique com eles e descubra o que eles estão tentando lhe ensinar. Você pode até esquecê-los por um tempo, mas, se não lidar com os problemas deles, vai encontrá-los repetidamente em sua vida. Isso não é um jogo de cartas, em que você pode trocar as subpersonalidades que não lhe agradam por outras. Na verdade, as personalidades que você menos quer ver são as que têm as lições mais importantes para você.

Trabalhei recentemente com uma mulher que parecia ter alcançado tudo. Não são muitas as mulheres que chegaram ao patamar de sucesso, fama e fortuna que Shelly atingiu. Ela escalou a ladeira do sucesso na indústria de entretenimentos e trabalhou com afinco para alcançar o topo. A maioria das notícias a seu respeito era favorável, mas ela era muito sensível às críticas. Depois de anos caminhando num passo rápido demais para a maioria das pessoas, Shelly tirou alguns meses de folga para cuidar dela mesma. Percebera que costumava agir com agressividade, mas odiava essa parte do seu caráter. Quando ela disse: "Sou agressiva", seu rosto se contraiu e seus olhos se encheram de lágrimas. Ela não conseguia conviver com essa parte de si mesma. Sentamo-nos frente a frente por um tempo, e eu apenas fiz com que ela repetisse, vezes e mais vezes: "Eu sou agressiva, eu sou agressiva".

Shelly ainda não se sentia à vontade com esse seu traço, então eu lhe pedi que fechasse os olhos e levei-a para o passeio de ônibus. Chamamos uma subpersonalidade a que ela deu o nome de Alice Agressiva. Os cabelos de Alice eram vermelhos, longos e eriçados, e ela estava com uns 55 anos de idade. Vestia um conjunto azul-marinho e tinha uma presença marcante. À primeira vista, Shelly não gostou dela, mas perguntamos a Alice Agressiva qual era o benefício que ela reservava para Shelly. Alice respondeu que era a proteção. Em seguida, contou a Shelly que a protegera enquanto ela construía sua carreira. Contou que se assegurara de que ninguém se interpusesse no caminho de Shelly e a magoasse ou a impedisse de realizar seus sonhos. Então perguntamos a Alice do que ela precisava para ficar completa. Ela queria amor e aceitação. Estava cansada de ser aquela mulher grande, terrível, mesquinha a quem Shelly vivia atacando. Alice era a pessoa que tornara possível toda a fama e o reconhecimento que Shelly conseguira, e agora queria algum crédito. Na opinião dela, ela não estava pedindo muito de Shelly, apenas amor e gratidão pela parte que desempenhara em sua vida.

Shelly ficou largada em meu sofá, com um grande sorriso nos lábios. Estava arrebatada; havia se apaixonado por Alice Agressiva. Incorporara uma parte de si mesma que tentara enterrar durante anos; aquela característica que lhe causava vergonha e aversão. O paradoxo era que, por não assumir sua agressividade, Shelly não pudera sentir prazer com os benefícios de todo o seu sucesso, mas agora estava livre para gozar os frutos do seu trabalho. Muitas vezes, é assim que a coisa funciona. Você tem uma qualidade que lhe traz um benefício sob a forma de um dom e então apela para esse dom para ajudá-lo a conseguir alguma coisa que deseja da vida. E, como esse aspecto de você mesmo não está completamente integrado em sua psique e você fez um juízo negativo dele, ele assume uma vida própria, atuando de maneira errada. Até incorporarmos as qualidades que um dia dissociamos de nós mesmos, elas continuarão a agir enquanto suas necessidades não forem satisfeitas. Lembre-se de que aquilo a que você resiste, persiste. Quando Shelly aceitou Alice Agressiva, sua angústia em relação à própria agressividade se desfez. Agora ela está livre para usar esse aspecto de si mesma apenas quando for apropriado.

Uma outra forma útil de incorporar seus traços é convidar algumas pessoas a penetrar na sua mente para conseguir outras perspectivas sobre os aspectos rejeitados. Visualize alguém que você admire e respeite, talvez alguém que seja puro ou religioso. Agora concentre-se em uma das palavras que você ainda acha difícil de incorporar. Pergunte às pessoas que você escolheu como elas interpretariam esse seu aspecto. Certifique-se de ter escolhido alguém sábio e compassivo. Ou tente isso com uma pessoa que foi importante no seu passado, de preferência um parente. O exemplo a seguir é retirado da minha própria vida:

Minha palavra é "relaxada". Como não aprovo essa parte de mim mesma, procuro escondê-la do mundo. Minha vida é organizada de forma a poder contar com uma empregada doméstica para cuidar do meu filho e limpar a casa. Ela mantém tudo limpo e na mais perfeita ordem. Mesmo não sendo eu quem conserva meu ambiente impecável, é assim que eu gosto do lugar onde moro. Ninguém jamais me chama de desmazelada, porque minha casa está sempre arrumada e limpa, mas, se alguém dissesse que Debbie Ford é uma fulana relaxada, isso me *atingiria*. Assim, fecho os olhos, respiro algumas vezes, lenta e profundamente, e penso na palavra "relaxada", o que me deixa um pouco enjoada e tensa. Há um sentimento de medo subjacente. Rastreio o sentimento no passado e me lembro de minha mãe gritando comigo por ser relaxada. Eu tinha medo de não ser amada se fosse uma pessoa desmazelada. De olhos fechados, imagino a figura da Madre Teresa em meu coração e pergunto a ela como poderia reinterpretar a palavra, já que não sou mais detestável nem relaxada. Digo a ela que quero injetar amor nessa palavra e, então, permito a mim mesma ouvir sua voz. Ela me responde que meu relaxamento é uma brincadeira; é como eu expresso a criança que existe em mim. Jogar as roupas no chão é engraçado para mim, e eu posso parar de errar. Ela me diz que o benefício de desmazelo é a ordem. Como cresci sendo lembrada a todo instante de como era relaxada, agora eu tinha uma capacidade especial para organizar as coisas e dar-lhes uma aparência de perfeição. Agora eu conto com uma interpretação nova e valiosa.

Fecho de novo os olhos e peço a Martin Luther King, Jr., para que me dê uma nova interpretação para o meu desleixo. Eu imagino sua figura no meu coração, e ele me diz que, por eu ter muita paixão pela vida, tenho pressa em ir para a próxima etapa, e isso aparece sob a forma de desmazelo. Sou agitada demais para me prender a coisas pequenas, como pôr os objetos no lugar. Ao assumir minha condição de relaxada e contratar alguém para realizar as coisas que não gosto de fazer, posso cuidar de assuntos mais importantes. Interpretação número 2.

Agora estou começando a amar meu desleixo. Sentindo-me com coragem, visualizo minha mãe, que sempre criticou meu desmazelo. Peço a ela uma interpretação nova e valiosa. Ela diz: "A razão por eu ter sempre criticado você por ser relaxada era a minha inveja por nunca ter tido a liberdade interior de jogar uma peça de roupa no chão e deixá-la ali". Ela me contou que sempre fora muito rígida consigo mesma, desde criança, e não suportava nada fora do lugar. Meu desmazelo era um lembrete de sua rigidez, e por isso a incomodava tanto. Ela continuou, dizendo-me que meu desleixo tinha me trazido o benefício de poder me expressar. Quando era jovem, eu adorava pintar. Mergulhava no trabalho e arriscava cores e pinceladas diferentes, algumas vezes usava as mãos. Nunca ficava com medo de tentar alguma coisa por medo de fazer bagunça e sujeira. Meu desmazelo me trouxe liberdade. Interpretação número 3.

Eu poderia continuar, mas em pouco mais de dez minutos eu adquirira um novo respeito pelo meu relaxamento. Agora parece uma característica que me garante muitos benefícios. Eu percebo, realmente, que me divirto e consigo me expressar, e, quando fecho os olhos e penso na palavra "relaxada", sinto-me aberta e receptiva. O amor cura, e, às vezes, é só uma questão de inventar uma nova interpretação de um sentimento ou de uma experiência.

À medida que você continua incorporando seus traços rejeitados, é importante refazer os passos que o levaram a pensar anteriormente que uma qualidade era ruim. Se voltar ao tempo em que um traço seu começou a ter poder sobre você, será capaz de expor a origem do julgamento que você fez a respeito do seu próprio direcionamento. Meu amigo Peter estava tendo dificuldade para incorporar sua fraqueza; assim, eu lhe pedi para fechar os olhos e procurar uma imagem no passado que exemplificasse sua fraqueza. Sua primeira lembrança foi do curso secundário, época em que ele escolhia um esporte diferente a cada estação porque se sentia desajustado e sem competitividade. Ele lembrou a sensação de se sentir fraco entre os colegas numa escola particular só para rapazes. Pedi a Peter que fosse mais fundo e descobrisse algum incidente anterior àquele, e então ele se lembrou de quando tinha 8 anos. Ele estava visitando o lugar onde sua família construía uma casa nova. Como a escada que levava ao segundo andar ainda não possuía a parte posterior, era possível enxergar o andar de baixo pelos vãos dos degraus. Peter lembrava-se da mãe e da irmã levando-o para cima para ver seu quarto novo. Mas, quando Peter decidiu voltar, a mãe e a irmã já tinham descido. Ele ficou com medo de ir sozinho e cair pelos vãos dos degraus. Ao ver a mãe e a irmã no andar de baixo, ele as chamou, mas elas se recusaram a ir buscá-lo. Sua mãe lhe disse para descer sozinho ou ela o deixaria ali. Paralisado de medo, Peter ficou imóvel. A mãe e a irmã saíram e só voltaram depois de meia hora. Naquele momento, ele assimilou a lição: "Se eu for fraco, as mulheres me abandonarão". Desde então, Peter não podia se sentir fraco, pois acreditava que isso faria com que as mulheres que o amavam fossem embora.

A maioria das pessoas é guiada pela criança de 8 anos que vive dentro de nós. A mesma criatura que não teve suas necessidades satisfeitas está implorando por aceitação. Por isso, é preciso pesquisar em nossa memória, tão remotamente quanto possível, até chegar àquele ponto em que você mais facilmente pode encontrar compaixão por um aspecto de si mesmo. Peter foi um sujeito destemido durante anos, e seus relacionamentos com as mulheres não duravam mais de seis meses, sendo sempre ele quem as abandonava. Ao rastrear sua fraqueza rejeitada, Peter foi capaz de encontrar a origem do poder que ela exercia sobre ele. Ao encarar esse incidente prematuro, ele foi capaz de assumir sua fraqueza. Para ajudar Peter a incorporar esse aspecto, pedi a ele para escolher duas pessoas que admirasse e que fossem dotadas de muita humanidade e compaixão. Ele escolheu o Buda e o Dalai Lama. Trazendo a figura do Buda à sua mente, Peter lhe perguntou qual era o benefício correspondente à sua fraqueza. O Buda lhe respondeu que ela lhe garantira uma profunda piedade pela fraqueza alheia. Do Dalai Lama, ele aprendeu que sua fraqueza era a fonte de sua personalidade dinâmica e de sua capacidade para fazer as outras pessoas se sentirem à vontade nas mais diversas situações. Sentir-se fraco dera a ele um forte desejo de desenvolver uma *persona* exterior amável e engajada.

Então pedi a Peter para pensar em seu pai ou em sua mãe. Com os olhos fechados, ele trouxe o pai à mente. Ele disse a Peter que, por ter sido obrigado a sempre superar sua fraqueza, o filho aprendera a se recuperar rapidamente e a reencontrar o equilíbrio depois de qualquer tipo de situação. Como Peter não podia aceitar sua fraqueza, sempre seguira o caminho mais difícil para provar como era forte. Precisava mostrar ao mundo sua força, e para isso criava uma vida cheia de infortúnios, mudanças erradas e oportunidades perdidas. O pai de Peter alertou-o de que, se ele começasse a aprender essas lições e incorporasse sua fraqueza, tornaria sua jornada mais fácil.

Eu soube, recentemente, que Peter está compondo músicas, paixão que ele jamais imaginou que pudesse se transformar numa carreira viável. Em vez de começar um novo emprego e um novo relacionamento a cada seis meses, Peter está canalizando sua energia para compor canções e produzir uma fita a fim de mostrar seu trabalho. Ele está aprendendo a criar um mundo sem sofrimento. Um mundo onde é seguro expressar as emoções e a criatividade.

Se não mudarmos a nossa percepção acerca do nosso verdadeiro eu, continuaremos repetindo os comportamentos passados. Suas subpersonalidades podem lhe dizer qual foi o trabalho que ficou inacabado, o que você tem de fazer para resolver padrões recorrentes. Elas lhe dirão o que você precisa fazer para aprender uma lição específica. Se estiver disposto a ouvir, você descobrirá que suas subpersonalidades são engraçadas, desembaraçadas, honestas e magnânimas – as pessoas mais sábias do Universo quando você se dá conta delas. Isso acontece porque elas estão lhe dando as respostas que vêm de dentro de você.

Ao mergulhar em seu íntimo, você pode ter acesso a qualquer pessoa que conheça. Basta ficar calmo e chamá-la em seu subconsciente. E, quando você visualizar alguém em particular e começar um diálogo, pergunte o que quiser. Por exemplo, o que ele pensa sobre determinado assunto e que conselho teria para lhe dar. Você é capaz de encontrar a voz de qualquer pessoa em seu interior – as respostas de que você precisa vêm de dentro. Todos os relacionamentos não-resolvidos e todas as suas paixões, familiares e amigos, heróis e gurus. Todas as pessoas a quem você rejeitou ou que o rejeitaram. Cada uma delas pode falar para você ou através de você.

Alguns anos atrás, eu estava vivendo um momento difícil, tentando decidir o que fazer da minha vida. Nesse período, fechei os olhos e perguntei a mim mesma: "A quem eu poderia recorrer para pedir um conselho?" Havia algum tempo, eu conhecera um homem a quem respeitava muito. O rosto do meu amigo Steve apareceu para mim. Levei dias para resolver se deveria incomodá-lo. De certa forma, me parecia impróprio telefonar-lhe para consultá-lo a respeito de decisões sobre minha carreira e meus problemas amorosos. Na realidade, não éramos mais amigos. Certo dia, durante uma meditação, experimentei visualizar Steve e lhe perguntar o que ele achava que eu deveria fazer. Nunca tentara isso antes, mas sabia que não tinha nada a perder. E aconteceu um fato espantoso: Steve começou a falar comigo. Disse-me que estava contente por eu tê-lo procurado pedindo ajuda e respondeu a todas as perguntas que lhe fiz, clara e concisamente. Quando terminei, senti como se tivesse acabado de passar uma hora com o verdadeiro Steve, ouvindo suas palavras sábias e recebendo seu amor. Era uma experiência surpreendentemente esclarecedora – simples, direta e objetiva. Eu nem sequer tivera de sair de casa ou pagar uma ligação telefônica! Durante meses, convoquei Steve para me orientar. Encontrara um amigo e confidente dentro de mim mesma.

Minha amiga Sirah usou uma técnica semelhante comigo depois da morte do meu pai. Fui visitá-la em meio ao meu sofrimento, quando me sentia particularmente triste porque meu pai jamais chegaria a conhecer meu filho, Beau. Sirah me pediu para fechar os olhos, e eu visualizei meu pai brincando com o meu filho. Era como se papai estivesse na minha frente dizendo a Beau que sempre estaria presente para protegê-lo. Ele disse a Beau o quanto gostava de música e que esperava que o neto descobrisse o prazer e a beleza da música e que tocasse um dos instrumentos que ele deixara. Essa experiência extremamente comovente e valiosa mudou minha maneira de sentir a perda do meu pai. Quando saí da sessão com Sirah, tinha certeza de que meu pai estaria sempre presente para me guiar e consolar, e que eu poderia aproximá-lo de Beau se compartilhasse o amor dele pela música com meu filho. O sentimento de perda passou da desesperança para o otimismo.

Suas subpersonalidades estão esperando por você – vá até lá e recupere-as. Elas não querem nada além de atenção e aceitação. São as vozes do seu futuro, não o seu passado. Estarão sempre aí para guiá-lo, abraçá-lo e consolá-lo, seja na forma de alguém que você conheça ou como uma figura indistinta. Se você agir como seu próprio amigo, quebrará o ciclo contínuo de perda do eu ou perda de outros. O que descobrirá é que nunca perdemos ninguém: nossos relacionamentos simplesmente mudam de forma. Uma pessoa pode não estar presente fisicamente, mas estará sempre dentro de nós. Ao recuperar tudo o que você odeia a seu respeito, você abrirá um mundo interno onde terá acesso a todo o Universo.

Cada um de nós tem a capacidade de dar a si mesmo tudo de que necessita para ser completo e feliz. Quando nos unimos novamente a nossos eus completos, é virtualmente impossível sentir-se solitário, isolado ou abandonado. Precisamos encontrar o Universo dentro de nós mesmos e aprender a amar, honrar e respeitar esse Universo. Então seremos capazes de aceitar nossa própria grandeza. Quando descobrimos a mágica do mundo interior, passamos a reverenciar o nosso eu. Com a reverência vem a paz, a satisfação e a gratidão pela nossa condição humana.

Todas as subpersonalidades trazem um benefício para você. Cada um dos seus aspectos, quer você goste ou não dele, pode beneficiar sua vida. Pensar que há somente a escuridão é frustrar a si mesmo. Existe luz em todas as partes de nós e em todo o Universo. Não descobrir nossos talentos é rejeitar o extraordinário desígnio da vida. Nossas almas anseiam por aprender essas lições valiosas. Temos de parar de julgar a jornada de nossas almas e confiar no desígnio de nossa condição humana e nossa eterna bondade. Há um velho provérbio que diz: "Todas as coisas precisam crescer, senão morrem". Nosso mais alto propósito é aprender e crescer por meio de nossas experiências e, então, ir adiante. Uma vez recebido o benefício de nossos traços, ficamos livres para escolher as experiências que desejamos.

EXERCÍCIO

Faça este exercício quando estiver bem relaxado, depois de uma caminhada ou de um banho. Vamos ao encontro de suas vozes interiores, portanto sua mente deve estar o mais calma possível. De manhã, bem cedo, ou antes de ir para a cama são também bons horários para esse exercício. Ponha uma música suave e acenda uma vela aromática para ajudá-lo a criar um clima de relaxamento. Feche os olhos e acompanhe sua respiração. Inspire devagar e profundamente, prendendo o ar por cinco segundos ou mais, e então expire lentamente. Faça isso umas quatro ou cinco vezes, até sentir que sua mente se acalmou.

Agora imagine que está entrando num ônibus, grande e amarelo. Sente-se no meio do ônibus. Você está bastante agitado porque vai fazer uma viagem há muito esperada. Pense que está indo rua afora num dia lindo e muito claro. Você está sentado ali, pensando em seus próprios problemas, quando alguém lhe dá uns tapinhas no ombro. Você olha para cima, e a pessoa lhe diz: "Olá, sou uma de suas subpersonalidades, assim como todas as outras pessoas neste ônibus. Por que você não se levanta agora e verifica quem está no seu ônibus?" Você sai do seu banco e caminha por todo o ônibus, observando as diferentes pessoas em seus lugares...

Você vê vários tipos de pessoa – altas, baixas, adolescentes e velhos. Talvez haja até gente de circo, animais e moradores de rua. Com você, no ônibus, estão pessoas de todas as raças, cores e credos. Algumas acenam para chamar a sua atenção; outras se escondem, quietinhas em seu canto. Continue andando pelo corredor, visualizando lentamente todos os passageiros no ônibus. Agora o motorista orienta você para deixar que uma de suas subpersonalidades o leve para dar uma volta a pé num parque das vizinhanças. Vá com calma e deixe que uma de suas subpersonalidades o pegue pela mão, acompanhe-o para fora do ônibus e entre com você no parque.

Sente-se perto dessa pessoa e pergunte a ela como se chama. Peça a ela para lhe dizer que traço representa, junto com um nome. Por exemplo, se encontrar uma pessoa brava, você pode chamá-la de Bia Brava ou Bruno Bravo. Se não ouvir um nome, dê-lhe um. Leve o tempo de que precisar. Observe como a pessoa está vestida e sua aparência geral. Que cheiro ela tem? Preste atenção em seu estado de espírito e na linguagem corporal. Respire fundo mais uma vez e pergunte: "Que benefício você traz para mim?" Depois que tiver recebido o benefício, pergunte: "Do que você precisa para tornar-se completo?" Ou: "Do que você precisa para se integrar à minha psique?"

Depois de ouvir todas as respostas, pergunte-lhe: "Há mais alguma coisa que você queira me dizer?" Quando tiver terminado, assegure-se de que compreendeu tudo e caminhe de volta para o ônibus com essa pessoa. Assim que estiver pronto, abra os olhos e escreva as mensagens que você recebeu de sua subpersonalidade. Pegue seu diário e escreva por pelo menos dez minutos sobre sua experiência.

Caso não consiga todas as respostas de que precisava de sua subpersonalidade, não se preocupe. É necessário tempo e prática para conseguir ouvir todas as suas mensagens. Marque um encontro com você mesmo para fazer isso novamente. Esse exercício exige que você se entregue a si próprio, para assegurar-se de que criou um ambiente seguro para o processo.

8

Reinterpretando a Si Mesmo

Quando não-resolvido, o passado destrói a nossa vida. Ele enterra nossos dons especiais, nossa criatividade e nossos talentos. E, quando essas partes de nós mesmos não são recuperadas, ficam estagnadas dentro de nós: em vez de as usarmos em harmonia com nosso mundo, nós as empregamos contra ele. Julgamos estar furiosos com o mundo e queremos mudá-lo, na expectativa de que, se ao menos ele fosse diferente, seríamos capazes de viver nossos sonhos. Mas somos nós que precisamos mudar. Estamos com raiva de nós mesmos por não persistirmos, por não honrarmos a força divina que existe dentro de nós, por não permitirmos nos expressar tão verdadeiramente quanto de fato desejamos. Acreditamos estar bravos com nossos pais porque eles nos reprimiram no princípio de nossa vida. Na realidade, estamos com raiva de nós mesmos por perpetuarmos aquela repressão. É como se, muito tempo atrás, alguém nos tivesse posto em uma jaula e, embora ela já não exista há bastante tempo, nós ainda tivéssemos a sensação de estar lutando contra suas grades imaginárias. A jaula são as limitações que nos impusemos, as dúvidas que nutrimos em relação a nós mesmos e o nosso medo. Aprendemos que é uma tarefa difícil ir atrás dos nossos sonhos; mas talvez ainda não tenhamos percebido que é até mais difícil viver dia após dia sabendo que não os estamos perseguindo. Nós fomos deixados vazios de desejo, que é a chave do preenchimento do nosso potencial espiritual. Ficamos com o desespero, que cresce lentamente e se expressa em nosso corpo na forma de doenças e em nossa psique como fúria. Se não quisermos fazer as pazes com o passado, nós simplesmente lançaremos nossa fúria e nosso desespero no futuro.

A força para olhar com clareza o seu passado e recuperar aspectos seus que em algum momento você rejeitou está dentro de você. Basta fechar os olhos, mergulhar em seu íntimo e fazer perguntas. O poder de que você precisa está lá, mas ele só vai aflorar quando o desejo de mudar sua vida for mais forte do que o desejo de permanecer na mesma situação. É sempre mais fácil culpar os outros pela condição em que se encontra nessa vida. Quando perdemos contato com o nosso eu, perdemos contato com a nossa divindade, e como não confiamos em nós mesmos passamos a não acreditar nos outros. Para algumas pessoas, a dor do passado é tão grande que elas acreditam que a única maneira de enfrentá-la é negando a própria culpa e acusando os outros. Você precisa incorporar o seu passado, se quiser modificar o seu presente. Se quiser manifestar seus desejos, você tem que se dar conta de tudo o que acontece no seu mundo.

Para saber qual será o futuro de uma pessoa, basta olhar para o passado dela. O passado nos leva a concluir que tudo o que podemos esperar do futuro é uma variação daquilo que já temos. Isso faz com que a maioria das pessoas estacione; obscurece a visão delas e destrói seus sonhos. Olhe em volta e observe como a maior parte das pessoas nunca muda. Se você comparar a vida delas agora e daqui a vinte anos, perceberá apenas uma pequena variação do tema original. Nossos problemas cruciais, sejam eles relativos a sexo, dinheiro, relacionamentos, saúde ou carreira, muitas vezes se conservam dominantes por toda a vida. Nosso passado molda o que dizemos, o que vemos e como vivemos. Algumas pessoas não prolongam apenas o próprio passado, mas também o de seus pais. A dor é passada de geração a geração, e, se não for questionada, jamais quebraremos o ciclo.

Começamos a renunciar a partes de nós mesmos por causa de nossas convicções mais profundas, que estão sempre relacionadas com a família e com a infância mais remota. O que nossos pais faziam ou deixavam de fazer tinha grande impacto na nossa vida. Os que cuidavam de nós e os professores também contribuíram para o que somos agora. A dor que você sofreu quando tinha 2, 6 ou 8 anos está logo abaixo da superfície de sua consciência. Até que seja transformada, permanecerá sempre ali, dirigindo sua vida. A maioria das pessoas jamais explora suas convicções mais profundas para verificar se as escolheu conscientemente. Toda semana, conheço gente que quer ser artista ou escrever livros, mas tem a mais absoluta certeza de que não será capaz de realizar seus desejos. Quando pergunto a essas pessoas por quê, elas me dizem que não são suficientemente talentosas ou educadas para isso. Confiam em suas razões, mas não em seus sonhos. E se formos procurar a origem de suas convicções, descobriremos que, com freqüência, alguém a quem elas amam lhes disse, expressamente ou não, que não eram capazes de concretizar seus sonhos. Como nunca questionaram essa idéia, elas ficaram presas a ela e nem ao menos tentaram alcançar o que seu coração desejava.

As convicções profundas que regem a nossa vida soam mais ou menos assim: "Não consigo fazer isto. Isso nunca vai acontecer na minha vida. Não mereço. Não sou bom o bastante para isso". Recentemente, uma moça chamada Hallie foi a um de meus cursos. Ela estava com 21 anos, mas, como sofria de depressão e não era capaz de cuidar de si mesma sozinha, morava com a mãe. Quando o curso começou, Hallie ficava sentada em silêncio, cabisbaixa, e evitava olhar para os outros. Ela tinha um tique nervoso de tamborilar na mesa, o que distraía qualquer um que estivesse próximo a ela. Durante os intervalos para descanso, Hallie muitas vezes era encontrada no chão, em posição fetal. Eu pedira a todos que fizessem suas refeições na companhia de outras pessoas, mas Hallie sentava-se sozinha. No segundo dia, fui até ela e lhe perguntei se ela tinha se apropriado do "pobre de mim". Ela me olhou com um sorriso confuso e perguntou: "Eu?" Não pude deixar de rir. O volume da mensagem silenciosa de Hallie era tão alto que soava como um grito para nós. Sentei-me perto dela e lhe perguntei o que ela imaginava estar comunicando ao mundo. Hallie respondeu que não pensava em si mesma como uma "pobre de mim". Na verdade, odiava gente "pobre de mim", incluindo sua mãe. Quando minha assistente Rachel e eu mostramos a Hallie os comportamentos que ela apresentava, todas as peças do quebra-cabeça de sua vida pareceram se encaixar. Hallie nos disse que, bem no fundo, acreditava que ninguém pudesse amá-la. "Pobre de mim" era um jeito de conseguir atenção. Já que crescera numa casa em que a mãe agia como uma criança, até mesmo falava como criança, Hallie aprendera a superar a mãe para atrair a atenção.

A crença de que não tinha os requisitos para ser amada estava bem escondida da própria Hallie, porque ela projetara isso em sua mãe. Ela não conseguia ver a si mesma com clareza. Toda a sua energia era canalizada para crer que não era como a mãe. Mas, quando mostramos a Hallie como ela se apresentava a nós, a moça percebeu que seu comportamento era o resultado direto da observação que fazia da mãe. Ao assumir o "pobre de mim" e conscientizar-se de seu comportamento de menininha, Hallie permitiu que os pólos opostos a esses traços aflorassem. O que se desenvolveu nela foi: "Sou uma mulher responsável". Depois de alguns meses, Hallie arranjou um emprego e se mudou da casa da mãe para o seu próprio apartamento. Sentindo-se confiante, ela começou a se encontrar com um homem e a se relacionar pela primeira vez em anos. Assim que descobriu a convicção profunda que comandava seu comportamento, ao examiná-la honestamente alcançou a liberdade para escolher um novo caminho para sua vida.

Adotamos inconscientemente muitas convicções de nossas famílias, e o restante das escolhas que fazemos é tingido por essas crenças sem que jamais nos perguntemos: "Essa convicção me valoriza?" Com freqüência, estamos apenas seguindo os passos dos nossos familiares. Isso é bom quando a realidade que você adota o faz feliz; mas, se isso não acontece, questione a situação. O preconceito, a dor, a culpa e a vergonha são superáveis. Seus problemas são seus ou você os herdou de gerações anteriores?

Minha avó é uma preocupada crônica. Sua idéia fixa é a seguinte: "Alguma coisa ruim está prestes a acontecer". Minha mãe não se preocupa de jeito nenhum, mas eu assumi a preocupação da minha avó. Muitas vezes passa pela minha cabeça o mesmo tipo de pensamento que ela tem. Espelhamos uma na outra nossas preocupações com a segurança do meu filho. Apesar de parecer tão evidente agora, levei anos para perceber que herdara esse traço de minha avó, a qual, por sua vez, o herdara de seu pai. Agora, quando percebo que uma preocupação me domina, paro e me pergunto se estou realmente preocupada ou se estou apenas representando uma de minhas velhas crenças arraigadas. Tão logo verifico que não tenho nenhum motivo para me preocupar e reconheço que estou presa a um padrão familiar, posso declarar minha própria verdade. Toda vez que interrompo minhas respostas automáticas ao me examinar bem de perto, elevo minha conscientização, e então posso me libertar do meu passado.

Muitas pessoas decidiram que *não serão* como seus pais. Mas precisamos saber que levamos anos assimilando as qualidades positivas e negativas de nossos pais. Eles fizeram o melhor que podiam ao nos dar o passado deles. Não podemos modificar a forma como fomos criados, e, quando quisermos procurar lições em nossas experiências, seremos capazes de perceber que cada incidente nos deu a oportunidade de aprender e crescer. Uma de minhas melhores amigas, que fora molestada sexualmente pelo avô durante anos, certa vez me disse: "Agradeço a Deus por tudo o que sofri, pois me tornei uma das pessoas mais desembaraçadas do mundo. Cheguei aonde estou porque aprendi a lidar com toda a dor e a violência do meu passado".

Todos os acontecimentos negativos são bênçãos disfarçadas. Alguns escolhem viver sob a ilusão de que as coisas ruins acontecem sem nenhuma boa razão para isso, mas a dor tem uma função: ela nos ensina e nos guia para níveis mais altos de consciência. Certa noite, enquanto eu meditava, depois de ter visto seis rapazes sendo presos e algemados na praia, perguntei a Deus: "Por que, numa gloriosa noite de verão, esses rapazes acenderam uma fogueira na praia?" Uma voz dentro de mim disse que o Espírito Santo estava guiando aqueles moços de volta para casa. Meter-se em confusão era um chamado da força de Deus existente dentro deles para que despertassem. É comum ver jovens valentões que, na prisão, lêem a Bíblia e assistem aos serviços religiosos. Homens que nunca haviam dedicado mais do que uma hora de sua vida adulta para pensar em Deus agora procuram respostas em sua alma. Os desafios em nossa vida podem nos fornecer discernimento para nos livrarmos de um passado que sufoca nossas paixões e nos mantém isolados de nosso centro espiritual.

Um velho mestre diz: "O mundo é um professor para o sábio e um inimigo para o tolo". Nenhum acontecimento é doloroso em si e por si mesmo; tudo é uma questão de perspectiva. É importante compreender que tudo o que acontece no mundo é exatamente como deveria ser. Não há erros nem acidentes. O mundo é um céu paradisíaco e um abismo sem fundo. Quando compreendemos que não podemos ter um sem ter o outro, fica mais fácil aceitar o mundo como ele é. Olho para o meu passado cheio de mentiras e de ilusão, dor e mágoa, drogas e sexo, mas sei que, sem todas essas experiências e a escuridão que me acompanhou durante tanto tempo, eu não teria sido capaz de ensinar como faço hoje. Todos os incidentes do meu passado, as noites insones, as lágrimas derramadas me deixam um pouco mais perto de cumprir a jornada da minha alma. Ninguém diz aquilo que digo da mesma maneira que eu. Ninguém faz as coisas que faço do mesmo jeito que eu. Eu sou eu e você é você. Cada um de nós é único, e todos nós temos uma jornada própria especial.

Eu tinha 13 anos quando meus pais se divorciaram. Esse acontecimento me perturbou emocionalmente durante muitos anos. Durante as férias, ficava triste, deprimida, querendo que o Ano-Novo chegasse logo para que as coisas pudessem voltar ao normal. Até que, uma noite, tive a percepção exata daquilo que estava me fazendo sentir tão mal. Sempre passava aquele período de férias com minha mãe, e me ocorreu que o pensamento do meu pai sem os filhos no Dia de Ação de Graças estava me perturbando. E o que mais me incomodava era estar sem meu pai.

Eu ficava num estado de espírito sombrio, sabendo que não havia nada que eu pudesse fazer naquela situação. Sentindo-me inútil e impotente, declarei encerrado o passado. Disse em voz alta: "Eu fiz isso". Eu criara isso, portanto eu poderia crescer e, se não gostasse da realidade que se apresentasse a mim, teria de criar outra. Comecei a imaginar cenas diferentes. Jantar com meu pai mais cedo e cear com minha mãe mais tarde. Imaginei ir visitar apenas meu pai e não ir ver minha mãe. Essas cenas todas me pareciam deprimentes, mas então eu tive uma idéia. Telefonei para minha mãe, que sempre recebia em sua casa no Dia de Ação de Graças, e sugeri que a reunião fosse na minha casa. Ela respondeu com entusiasmo à idéia. Em seguida, sugeri calmamente que gostaria de convidar meu pai e a família dele. Disse-lhe que significaria muito para mim vê-los todos reunidos. A princípio ela permaneceu em silêncio. Pensei que a linha tivesse caído, até que ouvi minha mãe dizer: "Se é isso que você quer, vá em frente".

Muito contente, telefonei a papai para convidá-lo e a toda a sua família para virem à minha casa naquele dia especial. Ele ficou surpreso e me perguntou o que minha mãe iria fazer. Disse-lhe que ela também viria com toda a família. Ele concordou, e assim foi. Em poucos instantes, eu criara uma situação que jamais julgara possível. Quando telefonei para a minha irmã e o meu irmão e lhes contei que todos iriam passar o Dia de Ação de Graças em minha casa, eles ficaram surpresos e céticos, mas compareceram. A reunião foi um sucesso. Eu convidara alguns amigos, com as respectivas famílias, para diminuir a tensão e poder arrumar mesas bem grandes e compridas, que acomodassem todos. Trinta e três pessoas estavam presentes; cada uma havia trazido seu prato favorito, e todos revelavam um genuíno espírito festivo. Nos três anos seguintes, até vender minha casa e me mudar para o oeste, fui a anfitriã desses jantares que incluíam os dois lados da família. Ao assumir a responsabilidade, fui capaz de ver emergir uma nova realidade, que ainda hoje me parece um milagre.

Para extrair sabedoria e liberdade do seu passado, você precisa assumir responsabilidade em relação aos eventos que aconteceram em sua vida. Assumir responsabilidade significa ser capaz de dizer a si mesmo: "Eu fiz isso". Há uma grande diferença entre o mundo fazer coisas a você e você fazer coisas a si mesmo. Quando assume a responsabilidade pelos acontecimentos da sua vida e pela interpretação desses eventos, você sai do mundo infantil e entra no mundo adulto. Ao chamar para si a responsabilidade pela sua ação ou omissão, você desiste da velha história do "Por que eu?" e a transforma em "Isso me aconteceu porque eu precisava aprender uma lição. Isso faz parte da minha jornada".

Segundo Nietzsche, querer afastar o passado é querer afastar a nós mesmos da vida. É quase impossível encaminhar nossa vida numa determinada direção enquanto não entrarmos em acordo com nosso passado. Cada acontecimento importante para nós muda nossa visão do mundo e de nós mesmos. O pensamento de rever o passado muitas vezes é assustador, mas é uma parte essencial do processo. Nosso passado é uma bênção que orienta e ensina e que carrega consigo tanto as mensagens positivas quanto as negativas.

Certo dia, uma amiga me telefonou para reclamar da vida. Cada vez que Nancy se olhava no espelho, constatava que seu corpo estava ficando mais flácido e seu rosto mais parecido com o de sua mãe. Ela disse que podia ver todo o esgotamento, a preocupação e o desapontamento gravados no seu rosto. Nancy me perguntou o que deveria fazer para lidar com as ondas de calor que a acometiam e com seu rosto triste e desabado. Disse-me que percebera que estava engordando para parecer grávida, como se assim pudesse recuperar a mocidade perdida. Juntas, Nancy e eu montamos um programa para ela escrever um diário, meditar e fazer um trabalho de liberação da raiva durante 28 dias. Ela precisava encerrar o passado e liberar suas emoções acumuladas. Nancy voluntariamente se abriu, e, enquanto usava o bastão contra as almofadas, fixava-se nas palavras "velha", "gorda", "patética" e "feia", que traduziam o que ela não queria ser. Depois de 28 dias de liberação, Nancy sentiu-se pronta. Ao longo do caminho, surgiram problemas diferentes, por isso ela levou o tempo que achou necessário para registrar e inventar novas interpretações para cada acontecimento. Foi um mês longo, mas, no final, ela se sentiu totalmente preparada para se amar e se valorizar.

Nancy passou os 28 dias seguintes amando cada parte daquilo que ela era. Disse-me que precisava ser abraçada e beijada; então abraçou e beijou a si mesma. Ela se perdoou por completo. Afinal, estava em paz. Nancy me ligou há pouco tempo para me contar que decidiu fazer uma plástica no rosto. Ela comentou que, tendo incorporado a "velha", agora podia incorporar a "moça" numa etapa inteiramente nova. Queria saber se eu achava que ela ainda estava fugindo da "velha". Depois de conversarmos um pouco, ficou evidente que Nancy não precisava da cirurgia, mas aquela era uma decisão que poderia aumentar o potencial dela na vida pessoal e profissional. Nancy é esteticista e maquiadora de artistas. Expliquei-lhe que muitas pessoas amam a si mesmas do jeito que são, mas optam por raspar as axilas ou depilar o buço. Fazemos essas coisas para ter uma aparência melhor, e não há nada de errado em relação a isso, desde que seja a escolha de cada um e desde que não estejamos fugindo de nós mesmos.

Nancy me contou que tudo se encaixara como por milagre. Certo dia, no consultório de um cirurgião plástico onde ela trabalhava durante meio período, as enfermeiras lhe perguntaram se ela gostaria de criar um rosto no computador. Nancy achou que seria engraçado. Ela viu sua nova imagem, mas ainda não pensara seriamente em submeter-se à operação. Meses depois, Nancy mencionou a experiência para o marido. Mesmo sem ter sido consultado, ele lhe disse que, caso ela quisesse fazer a cirurgia, ele pagaria. Nancy disse que tudo se encaixou. Ela foi operada e está gostando do resultado. Afirmou que só chegara a pensar em se submeter a uma plástica depois que passou a se aceitar da maneira como era. A dor de Nancy a levou a fazer um trabalho espiritual. Ao transformar o eu interior, ela foi capaz de modificar o eu exterior.

A dor que sentimos pode ser o nosso melhor professor. Ela nos leva a lugares dentro de nós mesmos a que nunca tivemos acesso. Quantas pessoas escolheriam ficar vinte anos sofrendo para poder descobrir a jornada de sua alma e então completá-la? Se eu não tivesse sofrido tanto, talvez ainda estivesse petrificada no mesmo ponto, expondo-me ao sol sobre uma lancha em Miami Beach, falando a respeito de mim mesma. O positivo e o negativo me fizeram chegar aonde estou hoje. Será que eu concordaria em passar por tudo o que passei para ter o que tenho agora? A resposta é sim! Abençôo o meu passado e o meu sofrimento. Mas, antes de incorporar meu lado sombrio, eu o odiava. Eu me magoava com a dor e guardava ressentimento contra aqueles que pareciam viver sem ela. Levei muito tempo até aceitar a responsabilidade pelas minhas ações; eu tentara com todas as forças não assumir responsabilidades. Só quando fiquei pronta para visualizar uma versão mais elevada da minha vida percebi que Deus estava procurando me ensinar alguma coisa e que eu só descobriria o dom especial que possuía se atravessasse a escuridão. Hoje eu me esforço para assumir a total responsabilidade pelos incidentes do meu passado a fim de entender que tudo aquilo era necessário para me levar aonde eu deveria chegar.

Assumir responsabilidades é uma tarefa difícil. A maioria das pessoas quer assumir a responsabilidade pelas boas coisas que cria na vida, mas resiste com freqüência a assumir a responsabilidade por seus erros. Quando assumimos responsabilidades, tudo pode nos fortalecer. Mesmo se nos sentirmos magoados ou envergonhados por algum acontecimento, encontraremos a paz ao saber que, de alguma forma, aquilo está nos ajudando a concretizar nosso sonho ou a orientar nossa jornada. Podemos olhar para nós mesmos e dizer: "O mundo é a minha tela, e eu desenho esse acontecimento na minha vida para aprender uma lição valiosa". Nós nos tornamos responsáveis por tudo o que acontece e dizemos ao Universo: "Sou a fonte da minha própria realidade". Esse é o centro de energia a partir do qual você pode mudar a sua vida.

Enquanto você não encarar o passado, ele estará sempre lá, trazendo mais mesmice para a sua vida. O psicólogo Rollo May definiu a loucura como "fazer várias vezes a mesma coisa esperando resultados diferentes". Devemos aprender com o passado e recuperar as partes de nós mesmos que um dia rejeitamos. Só assim interromperemos o ciclo. Aqueles que aprenderam com uma experiência ruim, assumindo a responsabilidade por seus sentimentos e comprometendo-se de forma consciente a modificar sua vida, raramente voltarão a criar a mesma situação. Se abordarmos a vida com consciência, começaremos a tomar novas e diferentes decisões sobre o que desejamos criar. Uma mudança de percepção é tudo de que precisamos.

Para modificar nossa percepção, devemos procurar em cada momento do passado até encontrar uma interpretação valiosa que nos permita assumir responsabilidades. Desperdiçamos uma energia preciosa criando razões para explicar por que o erro não é nosso. É sempre mais fácil culpar outra pessoa pelas coisas de que não gostamos no mundo, mas esse é um caminho sem saída. Há sempre sofrimento quando você é vítima das circunstâncias: a dor do desespero e da impotência. Mas você vive num universo em que tudo ocorre por algum motivo; por isso, procure uma bênção em todos os acontecimentos da sua vida e encontrará a gratidão. Você terá a sensação de ser abençoado.

Todos os incidentes, palavras e pessoas que ainda comportam uma carga emocional precisam ser *repassados, encarados* e *incorporados*. Temos de refazer nossos passos até chegar à origem da nossa carga emocional; então, encaramos o incidente e o devolvemos à sua realidade como parte do nosso passado. Como devemos nos tornar completamente conscientes da influência que o fato teve em nossa vida, passamos a olhar para o incidente de uma perspectiva diferente, que nos permita substituir os sentimentos negativos por positivos. Assumimos o controle de nossa vida pela escolha de nossas interpretações, o que nos capacita a incorporar o passado rejeitado e desfaz nossa ligação com outras pessoas.

É preciso escolher as interpretações que empurram a nossa vida para a frente, em vez daquelas que nos transmitem a sensação de solidão e desesperança. Eu acredito que inventar uma nova interpretação é o caminho mais simples para transformar alguma coisa negativa em positiva. Tudo o que ocorre no nosso mundo é um acontecimento objetivo e não tem nenhum sentido inerente. Cada pessoa vê o mundo através de lentes diferentes, de tal forma que cada um percebe de maneira diferente um determinado incidente. O que produz efeito em nossas emoções são a nossa percepção e as nossas interpretações e não o incidente em si. Quem nega a responsabilidade e lança acusações são nossas percepções e interpretações. A quem você culpa por seu egoísmo? Por seus vícios? Por suas falhas? Este é o momento de parar de se considerar uma vítima. Assuma a responsabilidade e você aceitará seu egoísmo, seus vícios e suas falhas. Você também desencadeará sua generosidade, a graça e o direito divino de ter tudo. Todos nós temos de chegar a um acordo com relação a como somos afetados por nos mantermos presos a uma visão antiga e não-desenvolvida de nós mesmos e de nossa vida. Precisamos tomar uma decisão consciente para mudar o nosso mundo pela alteração de nossas interpretações. Ao mudar a interpretação de uma palavra, não só ela perde a conotação negativa, como devolve a você seu próprio valor.

O exercício descrito a seguir vai ajudá-lo a mudar suas interpretações. Escolherei uma palavra que, para mim, ainda tem uma carga emocional e que não quero que me atribuam. A palavra à qual quero dar uma nova interpretação é "feia". Percorro minhas lembranças e descubro um incidente que me fez sofrer e formou a minha opinião sobre feiúra. Ao *repassar* o acontecido, lembro-me de que meu pai, para me provocar quando eu era bem pequena, chamava-me de "nariz de porco" e "cabrita". A minha interpretação: meu pai não gosta de mim e me acha feia. Sei que esse pensamento me feriu; portanto, preciso me decidir a encarar o incidente. Resolvo passar pelos sentimentos de dor, humilhação e vergonha que ainda sinto em relação àquele momento e àquela palavra. E então começo a criar uma nova interpretação do acontecimento a fim de incorporar a "feia".

NOVAS INTERPRETAÇÕES

Positivas

1. Sou bonita; por isso, meu pai ficava nervoso perto de mim, e a única maneira que ele encontrava para lidar com esse nervosismo era me chamando de nomes que considerava engraçadinhos.
2. Meu pai considerava esses nomes engraçadinhos e os usava com carinho.
3. Meu pai gostava tanto de mim que queria me preparar para o mundo real. Pensava que poderia me proteger ao fazer pouco da minha beleza.

Negativas

1. Meu pai me odiava e estava tentando estragar a minha vida para sempre.
2. Meu pai me julgava verdadeiramente feia, e a única maneira que ele encontrava para lidar com isso era me provocando.

Agora posso examinar todas essas interpretações e verificar quais me fazem sentir bem e quais me fazem sentir mal. E posso decidir substituir minha interpretação antiga e negativa por uma nova e positiva. Sempre pergunto a mim mesma: "Essa interpretação me valoriza ou desvaloriza? Faz-me sentir fraca ou forte?" Se você tiver um diálogo interior que o desvalorize, nada mudará até que o substitua por uma conversa interior positiva e de peso. Mas muitas pessoas são teimosas e viciadas em sofrer, o que não lhes permite uma nova interpretação. Por isso é tão importante que você escreva e examine em cada detalhe tudo aquilo que perceber num determinado incidente. Quando quisermos nos divertir um pouco e brincar com nossas interpretações, poderemos reexaminar as opções. Se as retirarmos da escuridão e as expusermos à luz, é possível que elas sejam recuperadas.

A nova interpretação que escolhi para essa situação foi que: "Meu pai gostava tanto de mim que queria me preparar para o mundo real. Ele achava que poderia me proteger ao fazer pouco da minha beleza". Escolhi essa porque me fez rir. Ela me pareceu um tanto ridícula quando a escrevi, mas, assim que fechei os olhos e me perguntei qual das interpretações nutria mais a minha alma, percebi que era essa. Já que eu decidira substituir a antiga interpretação, estava pronta para incorporar a "feia" sem sentir o sofrimento passado. Naquele momento, meu ponto interno de referência se alterara, e aquele velho hábito do meu pai quase me parecia uma brincadeira leve e carinhosa. Sem me importar com seus verdadeiros motivos, agora estou em paz com aquela experiência. Não ando mais por aí com medo de que alguém me ache feia. Nem projeto a feiúra que via em mim em outras pessoas. O benefício da feiúra é a liberdade de sair de casa sem pentear os cabelos ou sem me maquiar e, ainda assim, me sentir ótima.

Você pode usar o exercício que acabamos de fazer com qualquer incidente ou palavra com que tiver problemas, sejam eles triviais ou graves. Uma mulher com quem eu estava fazendo um trabalho desse tipo encontrou uma grande e explicável dificuldade em descobrir algum benefício no fato de ter sido estuprada sob a mira de um revólver. O que restara da experiência fora a sensação de ser uma prostituta repugnante e vulgar que merecera aquilo. Essa interpretação a acompanhava havia quinze anos. Pedi-lhe que tentasse inventar três interpretações positivas e mais duas negativas. Ela poderia ver claramente que a que escolhera era dolorosa e a desvalorizava. E então ela inventou as negativas em primeiro lugar.

Negativas

1. Como eu era rebelde e odiava meus pais, vestia-me de maneira provocante e recebi o que merecia.
2. Faço parte da ralé que não tem valor. Mereço que usem e abusem de mim.

Positivas

1. Eu era uma garota jovem e ingênua que tentava fazer parte de um grupo. Aquele acontecimento fez com que eu me tornasse uma pessoa mais consciente, cuidadosa e atenta.
2. Aquele incidente foi uma bênção disfarçada, cujo resultado foi eu ter aprendido a respeitar a mim e ao meu corpo.
3. Aprendi que jamais teria de me transformar em vítima outra vez. Aquele incidente foi um aviso, parte do plano divino para despertar o meu eu espiritual.

Assim que Hannah chegou a todas essas interpretações, percebeu que tinha uma escolha. Havíamos abordado as interpretações negativas em primeiro lugar porque Hannah achava que era impossível criar alguma positiva. Mas, quando terminamos, Hannah já era capaz de descobrir diferentes interpretações que a valorizavam. Ela até mesmo admitiu que aquela que escolhera parecia ser a verdadeira – a segunda interpretação da relação positiva: *Aquele incidente foi uma bênção disfarçada, cujo resultado foi eu ter aprendido a respeitar a mim e ao meu corpo.* Assim que Hannah decidiu alterar sua interpretação primitiva, sentiu que já conseguia incorporar "inconsistente" e "repugnante", as duas palavras que haviam dirigido sua vida durante quinze anos. Ao deixar que esses aspectos de si mesma a presenteassem com seu benefício, ela também deu espaço para que seus pólos opostos emergissem. Orgulhosa e bonita era o que Hannah desejara ser, e naquele momento ela passava a ter acesso completo a essas características de si mesma.

À medida que você for se tornando mais consciente, ficará cada vez mais evidente que é sua a responsabilidade de escolher interpretações que o valorizem. Às vezes é mais fácil sentir-se vítima, mas uma perspectiva negativa lhe dá a garantia de receber mais carga do mesmo tipo. Quanto mais consciente você estiver dos benefícios da vida, mais rapidamente escolherá suas próprias perspectivas a respeito de tudo o que lhe acontece. Acontecimentos trágicos ocorrem com todos nós; isso faz parte da vida. É preciso coragem para enriquecer-se por meio desses acontecimentos; mas, se você usar esses períodos para crescer, eles se tornarão bênçãos.

Outro exemplo de coragem é a vida de uma linda jovem chamada Júlia. Durante alguns anos, ela desejara ansiosamente ter um bebê; e, quando ela finalmente engravidou, ela e o marido ficaram em êxtase. Ao se aproximar da décima quarta semana de gestação, Júlia percebeu que estava tendo um sangramento. Assustada, procurou imediatamente sua obstetra. Como não conseguiam ouvir o batimento cardíaco do bebê, ela se submeteu a uma ultrassonografia. De novo, não detectaram o batimento cardíaco – o bebê estava morto. Júlia ficou arrasada. Chorou durante dias, lamentando sua perda. Enquanto o feto morto ainda estava dentro de Júlia, tive a oportunidade de trabalhar com ela terapeuticamente. Pedi-lhe uma interpretação para esse acontecimento tão triste. Júlia começou a chorar e disse: "Não sou boa o suficiente para gerar uma criança. As bebidas que tomei antes de saber que estava grávida devem ter prejudicado meu bebê".

À natural dor de seu pesar, Júlia acrescentava a culpa que atribuía a si própria. À medida que fomos conversando, ficou claro para mim que Júlia queria tornar sagrado esse acontecimento, encarando-o não apenas como mais uma coisa ruim que acontecera a ela. Quando começamos nosso trabalho, Júlia quis criar as interpretações negativas em primeiro lugar.

Negativas
1. Jamais serei çapaz de chegar ao final de uma gravidez, porque sou geneticamente defeituosa.
2. Estou sendo castigada por todos os abortos feitos pelas minhas amigas e parentes.

Positivas
1. Isso foi um exercício prático para o meu corpo, preparando o caminho para o bebê que amarei e acalentarei.
2. Essa é a confirmação de que meu desejo de ter um bebê é real. Não sinto mais nenhuma ambivalência a respeito disso.
3. A dor da perda e da separação deu-me a experiência que me ajudará a ser uma mãe melhor.

Júlia escolheu a terceira interpretação positiva: *A dor da perda e da separação deu-me a experiência que me ajudará a ser uma mãe melhor.* Ela sentiu o poder dessa interpretação em seu corpo. Sabendo que acidentes não existem, Júlia quis se lembrar dessa criança mais pelo benefício que ela lhe trouxe do que pela dor. Esse foi, de fato, um ato de amor e coragem. Deu forças a Júlia para que prosseguisse sua vida e estivesse pronta para a linda criança de quem ela finalmente se tornaria mãe.

Precisamos confiar em que, se fizermos tudo o que é necessário para limpar o passado e assumir nosso sofrimento, encontraremos nossos benefícios particulares, o ouro na escuridão. Se dermos oportunidade ao Universo, ele nos dará mais do que conseguimos imaginar. Cada pessoa vem ao mundo com uma missão diferente, e cabe a nós desempenhá-la. Dessa perspectiva, você perceberá que todos os acontecimentos do seu passado lhe deram a oportunidade de aprender, crescer, mudar e explorar.

Quando nos reconciliamos com o passado, o processo de recuperar nossas projeções fica mais fácil. Emoções e comportamentos rejeitados esgotam em nós o poder e a capacidade de sermos excelentes. Ao negar um único aspecto de você mesmo, você nega uma parte daquilo de que precisa para ser inteiro. Cedemos nossos aspectos mais valiosos para aqueles que odiamos e para os que amamos sem saber. Não conseguimos incorporar determinadas coisas porque investimos demais nos juízos que fazemos e em nossos preconceitos. Perdemos a coragem de estar errados, de ser responsáveis. Temos medo de ser imperfeitos, de imaginar que aquelas coisas que mais detestamos nos outros são as coisas que mais detestamos em nós mesmos. Tememos que nosso poder e nosso brilhantismo acabem por nos isolar, porque tudo o que vemos ao redor é mediocridade. Temos tanto medo de ser rejeitados que liqüidamos nossos bens mais preciosos para nos ajustarmos ao meio. Foi-nos ensinado que isso era um meio de sobrevivência, e agimos assim até o momento em que não suportamos mais a nós mesmos. As emoções nocivas tornam-se, então, de tal modo dolorosas que criamos situações na vida para provar continuamente que somos inúteis e que não merecemos a realização de nossos sonhos. E só você pode interromper o círculo vicioso. Só você pode dizer: "Chega. Quero a minha grandeza. Mereço meu brilhantismo, minha criatividade e minha divindade".

Vivi durante anos a experiência dolorosa da falta de confiança em relação aos homens com quem me relacionei mais intimamente. Eu acreditava que não se podia confiar nos homens e que, se surgisse a oportunidade, eles seriam infiéis. Jamais me ocorreu que isso não tinha nada a ver comigo. Assim, eu perseguia o tempo todo meus namorados com a ameaça de acabar o nosso relacionamento se eles fizessem qualquer coisa que pusesse em risco a exclusividade da relação. Até que um companheiro meu sugeriu que eu estava projetando nele a minha própria falta de confiabilidade. Rejeitei imediatamente a idéia. Com certeza eu era leal e digna de confiança. Mais tarde, depois de uma discussão, percebi que a primeira coisa que fiz foi pensar no próximo homem com quem eu manteria um relacionamento, meu próximo sr. Certinho. Nós nem havíamos conversado a respeito de terminar nosso relacionamento e eu já estava fantasiando um caso com outro homem. Mas, como eu me convenci de que aquilo era uma fantasia, consegui negar essa parte de mim mesma. Tão logo fui capaz de tomar conhecimento da minha falta de confiabilidade, parei de projetar minha desconfiança naqueles que estavam à minha volta.

Foi muito desagradável descobrir que era eu que criava tumultos nos meus relacionamentos. Minha primeira resposta foi sentir aversão por aquilo que eu encarava como uma parte doentia de mim mesma. Fechei os olhos para ver se conseguia falar com minha subpersonalidade não-confiável. A primeira imagem que me veio à mente foi uma menininha frágil que tremia à simples visão de um homem. Seu nome era Adriana Apavorada. Quando perguntei a ela do que ela precisava para se recuperar, ela me respondeu: piedade. Ouvir suas palavras e perceber seu medo abriram o meu coração. Decidi-me a sentir o meu próprio medo e, com os olhos fechados, abracei Adriana Apavorada. Ter compaixão por nós mesmos é essencial; se ela nos falta, ficamos com medo e indispostos em relação à nossa própria pessoa. Já que é intolerável odiar a si mesmo, projetamos esse rancor contra o mundo. Preferimos ser vítimas do mundo a sê-lo de nós mesmos, e, ao jogar a culpa no mundo, conseguimos evitar o sofrimento de encarar o nosso eu.

Agora é o momento de olhar honestamente para todos aqueles em relação a quem você reagiu de uma forma mais intensa – sua mãe, seu pai, seu companheiro, seu chefe ou seus melhores amigos. Faça uma lista de quem são eles e quais as características deles que o irritam. Esse é um processo de descobrimento contínuo. Assim que você se apropriar de uma leva de traços, uma outra se apresentará a você. Se restar algum ressentimento, ele funcionará como uma bandeira vermelha para avisá-lo de que você ainda está energeticamente ligado.

Em seu livro *A Course in Love,* Joan Gattuso ilustrou um exercício fácil que ela aprendeu com o escritor Ken Keyes. Escreva o nome de uma pessoa que o incomoda no alto de uma página. Trace uma linha dividindo a página ao meio e escreva todas as qualidades que você aprecia nessa pessoa de um lado e todas as coisas de que não gosta do outro. Mesmo quando não gostamos de alguém, normalmente é possível descobrir alguma coisa a ser apreciada nessa pessoa. Sua lista pode ficar assim:

MARTHA

Positivas	*Negativas*
bom gosto	preguiçosa
apaixonada pelo trabalho	desleixada
	exaltada
	barulhenta

Agora escreva, antes de cada item da coluna à esquerda: "Eu me amo quando..." *Eu me amo quando tenho bom gosto. Eu me amo quando me sinto apaixonado pelo meu trabalho.* E, então, escreva antes de cada item da coluna à direita: "Não gosto de mim mesmo quando..." *Não gosto de mim mesmo quando sou preguiçoso. Não gosto de mim mesmo quando sou desleixado. Não gosto de mim mesmo quando sou exaltado. Não gosto de mim mesmo quando sou barulhento.* Essa é uma maneira simples de reconhecer que aquilo que você percebe em relação à outra pessoa se refere, na verdade, a você.

Certo dia, recebi um telefonema de minha amiga Laurie, que freqüentara o meu curso. Ela estava muito desgostosa. Durante anos, Laurie admirara Christina, uma antiga colega de quarto da faculdade, mas, de repente, na última hora, Christina voltara atrás em alguns planos que haviam feito juntas, deixando Laurie muito chateada. Ela me disse que Christina era uma sabe-tudo arrogante, mimada e egoísta. Lembrei delicadamente a Laurie que, quando nos sentimos muito atingidos pelo comportamento de alguém, é porque estamos projetando uma de nossas qualidades rejeitadas. Laurie insistiu que isso não tinha nada que ver com ela. Ela sentia que Christina, finalmente, estava mostrando seu verdadeiro caráter. Pedi a Laurie que fizesse uma lista de tudo o que apreciava e o que não apreciava em Christina. Descrevo-a a seguir:

CHRISTINA	
Positivas	*Negativas*
líder	egocêntrica
elegante	egoísta
mística	arrogante
bem-sucedida	sabe-tudo
bonita	descuidada

Laurie foi seguindo os traços positivos e escreveu: "Gosto de mim quando sou líder, elegante, mística, bem-sucedida e quando estou bonita". E, então, escreveu: "Não gosto de mim quando sou egocêntrica, egoísta, arrogante, sabe-tudo e descuidada". Laurie percebeu que não estava se apropriando dos aspectos negativos de Christina, nem dos positivos. Laurie havia transmitido todo o seu potencial para Christina ao projetar nela todos os aspectos positivos a que ela não estava ligada. Quando Christina desapontou Laurie, revelando suas imperfeições, Laurie sentiu-se enganada. Ao descobrir que aquela mulher perfeita, mística, bonita e elegante tinha imperfeições, isso ressaltou as imperfeições de Laurie. Laurie tinha projetado tanto do seu eu rejeitado em Christina que se sentiu perdida e furiosa quando Christina se apresentou como era na realidade. Para poder se desligar, Laurie precisava recuperar as partes de si mesma que projetara em Christina.

Aconselhei Laurie a escrever uma carta para Christina a fim de expressar o que estava sentindo. Mesmo que ela jamais enviasse a carta, era importante que fosse capaz de expor a raiva e o ressentimento que a estavam sufocando. Quando acabou de escrever,

Laurie decidiu que não queria transmitir seu potencial para Christina ou para quem quer que fosse. Estava pronta para se apropriar de sua beleza, de seu sucesso, de sua elegância, de sua espiritualidade e de suas qualidades de liderança. Um por um, Laurie identificara esses aspectos em si mesma. Ela recuperou todas as suas projeções positivas e, então, as negativas. Para Laurie, era mais difícil apropriar-se das positivas do que das negativas. De fato, assim que ela incorporou as positivas, as negativas ficaram sem carga emocional. Quando possuímos completamente uma coisa de um só lado da balança, muitas vezes isso traz a qualidade oposta para estabelecer o equilíbrio. Christina não passou de um catalisador para Laurie descobrir sua beleza e sua própria luz.

As pessoas aparecem na nossa vida para que restauremos a nossa integridade. A margem de acerto pela qual a maioria das pessoas julga a si mesma é muito estreita. Se tudo o que for bom ficar de um lado e o ruim, do outro, viveremos no meio, apropriando-nos de uma pequena porção da parte boa e uma pequena porção da parte ruim. Precisamos aprender a viver em toda a extensão da capacidade humana, sem nos sentirmos mal ao fazer isso. Todas as emoções e os impulsos são perfeitamente humanos. Temos que incorporar a escuridão para poder incorporar a luz. Deus, espírito, amor: para mim, eles são uma coisa só. Eles sempre estão lá, mesmo que não os vejamos, à espera de que nós os convidemos. A entrada fica em nosso coração. Quando quisermos abrir o coração a tudo o que existe e começarmos a procurar o lado bom de tudo em vez do ruim, então veremos a Deus. Veremos o amor. É essencial que nos lembremos de que quem escolhe o que quer ver somos nós. Da mesma forma, nós procuramos todas as lições que aprendemos nessa vida. Todo incidente, não importa o quanto ele seja horrível, traz um benefício para você. E, se você alcançar seu benefício, eu alcançarei o meu, porque eu sou você e você é eu no mundo espiritual.

EXERCÍCIOS

1. Em alguns minutos, prepare um ambiente descontraído. Agora, feche os olhos e respire cinco vezes, devagar e profundamente. Imagine-se entrando no seu elevador interno e desça sete andares. Quando a porta se abrir, você estará em seu jardim sagrado. Caminhe até seu lugar de meditação, enquanto desfruta a beleza do seu jardim. Então, faça esta pergunta a si mesmo: "Quais são as crenças mais arraigadas que estão dirigindo minha vida?" Espere alguns minutos e faça uma lista de suas convicções mais profundas. Depois, feche os olhos e imagine a primeira afirmação da sua lista. Pergunte a si mesmo as questões que vêm a seguir. Não tenha pressa e preste atenção às respostas que vão brotando de dentro de você.

   a. Essa idéia é minha ou eu a adotei?
   b. Por que carrego essa convicção?
   c. Essa crença me valoriza?

Reserve um tempo para escrever no seu diário quando tiver respondido a todas as perguntas.

2. Escreva uma cartinha para cada crença da sua lista, agradecendo pelo serviço prestado. Em seguida, invente uma crença nova para substituir a antiga. Comprometa-se verbalmente a honrar essa nova crença. Então, abra os olhos e escreva a nova crença que o valoriza.

3. Escreva uma palavra que você ainda não consiga incorporar ou amar completamente. Feche os olhos e descubra um incidente na sua vida que o afetou de tal modo que você tornou essa qualidade ofensiva. Agora

escreva sua interpretação do incidente. Embaixo dela, escreva cinco novas interpretações do acontecimento. Três positivas e duas negativas. Se não conseguir pensar em nenhuma, peça ajuda a seus amigos ou familiares. Inventar novas interpretações é um ato criativo que exige prática. Em vez de ficar preso a uma interpretação, tente várias. Você quer se desprender da interpretação que tem sido a causa do seu sofrimento. Se tiver alguma dúvida, consulte a página 150.

9

Deixe a Sua Luz Própria Brilhar

"Nosso medo mais profundo não é o de sermos inadequados. Nosso medo é de que sejamos poderosos além da medida",
diz Marianne Williamson em *A Return to Love*.

É a nossa luz, não as nossas trevas, o que mais nos assusta. Perguntamos a nós mesmos: "Quem sou eu para ser brilhante, exuberante, talentoso, fabuloso?" Na verdade, quem você não poderia ser? Você é filho de Deus. Sua atuação contida não ajuda o mundo. Não há nada que justifique o ato de se encolher para que as pessoas à sua volta não se sintam inseguras. Você foi criado para manifestar a glória de Deus que está dentro de você. Não apenas dentro de alguns de nós: ela está em todos; e, quando deixamos nossa luz própria brilhar, inconscientemente permitimos a outras pessoas que façam a mesma coisa. Como estamos livres do nosso medo, nossa presença libera automaticamente os outros.

Este capítulo vai lhe mostrar como deixar sua luz brilhar com toda a intensidade, como incorporar toda a graça e a grandeza que você enxerga nos outros. Isso significa apropriar-se e incorporar não apenas o lado sombrio, mas a sombra luminosa também, todas as coisas positivas que você rejeitou e projetou nos outros.

Vivemos uma nova era; é um tempo de abertura, recuperação e crescimento. Não é tranqüilo, mas requer a rendição – a rendição do nosso ego e dos nossos antigos padrões. Como disse, certa vez, Charles Dubois: "O importante é você ser capaz de, a qualquer momento, sacrificar o que você é por aquilo que você pode se tornar". A única coisa que nos impede de ser completos e autênticos é o medo. Nosso medo nos diz que não podemos realizar nossos sonhos. Nosso medo nos diz para não assumirmos riscos. Impedenos de aproveitar nossos tesouros mais valiosos. Nosso medo nos mantém vivendo no centro do espectro luminoso em vez de incorporarmos toda a gama de cores. O medo nos mantém entorpecidos, bloqueia nossa exuberância e a emoção de viver. Com medo, criamos situações na vida para provar a nós mesmos que as limitações que impomos a nós mesmos são pertinentes. Para superar o medo, temos de encará-lo e substituí-lo por amor; só então estaremos prontos para incorporá-lo. E ao conseguir incorporar o medo, temos a opção de não mais ficar com medo. O amor nos permite cortar esse cordão.

Tememos nossa própria grandeza porque ela desafia nossas crenças mais arraigadas; ela contradiz tudo o que nos foi dito. Alguns reconhecem muitos de seus talentos, enquanto outros conseguem enxergar apenas uns poucos, mas é raro encontrar alguém que esteja à vontade com o brilho total de sua luz. Todas as pessoas têm diferentes traços positivos que não conseguem incorporar. Já que a maioria foi ensinada a não ser convencida ou vaidosa, alguns de seus mais valiosos talentos acabam sendo enterrados. Esses traços se tornam nossas sombras luminosas. Carregamos as sombras luminosas e as sombras escuras numa mesma sacola.

É tão difícil recuperar os aspectos luminosos quanto os sombrios. Quando eu estava num centro de desintoxicação de drogas, uma mulher foi até lá a fim de dar uma palestra para um de nossos grupos. Ela começou nos contando que havia se formado na faculdade entre os primeiros da classe. Estava casada há 13 anos e tinha um relacionamento espetacular com o marido. Era uma mãezona e uma excelente comunicadora. Como ela continuava a falar das coisas que sabia fazer bem, eu pensei: "Que chata convencida! Quem ela pensa que é? Por que eu tenho de ouvi-la?" E então ela parou, olhou bem no fundo dos olhos de cada um de nós e disse: "Vim até aqui para falar a vocês sobre amar a si mesmo. Sobre a importância de vocês conhecerem todas as suas boas qualidades e serem capazes de compartilhá-las com as pessoas". Ela explicou que, para amar a nós mesmos, temos de estar dispostos a deixar nossa luz própria brilhar com toda a intensidade. Temos de agradecer a nós mesmos, todos os dias, por tudo de bom que fizemos. Devemos inventariar nossa vida e aplaudir nossas realizações. E, ao permitir que nossa luz própria brilhe, estaremos mostrando aos outros que seria bom para eles brilhar também.

Sentei-me na cadeira em estado de choque. Às vezes eu me gabava dos meus talentos, mas nunca acreditei que fosse certo apreciar e elogiar a mim mesma. Minha gabolice vinha da insegurança, pelo fato de nunca me sentir suficientemente boa. O paradoxo da situação era que, segundo a palestrante, eu não me sentia satisfeita em relação a mim mesma porque não estava disposta a me apropriar dos dons que Deus doara a mim, nem a apreciar meus talentos. Pela mesma razão, eu sempre acreditara que, ao menosprezar as melhores partes de mim mesma, me tornaria uma pessoa melhor.

Naquela tarde, aprendi uma das mais valiosas lições da minha vida: não só está certo dizer coisas boas a respeito de si mesmo como é imperativo que se faça isso. Precisamos reconhecer nossos dons e nossos talentos. Devemos aprender a apreciar e honrar tudo aquilo que fazemos bem. Temos que encontrar nossa excepcionalidade. Muitas pessoas não são capazes de se apropriar do seu sucesso, da sua felicidade, da sua saúde, da sua beleza e da própria divindade. Têm medo de perceber que são poderosas, bem-sucedidas, sensuais e criativas. O medo que sentem impede-as de explorar essas partes de si mesmas. Porém, para nos amarmos de verdade, temos de incorporar tudo o que somos, não só o lado sombrio mas a luz também. E aprender a reconhecer nossos próprios talentos nos permite apreciar e amar os talentos únicos de todos os demais.

Espere um momento para acalmar sua mente. Respire profundamente diversas vezes e, bem devagar, leia a lista a seguir. Depois de olhar as palavras, diga a si mesmo: "Eu sou _____", para todas. Por exemplo: Eu sou saudável; Eu sou bonito; Eu sou brilhante; Eu sou talentoso; Eu sou rico. Escreva num papel todas as palavras que não o deixam à vontade. Inclua aquelas que representem coisas que você admira em outra pessoa mas que não incorpora a você mesmo.

Satisfeito, seguro, amado, inspirador, sensual, radiante, delicioso, arrebatado, animado, alegre, *sexy*, magnânimo, vivo, realizado, vigoroso, ousado, flexível, responsável, completo, saudável, talentoso, capaz, sábio, honrado, santo, valioso, envolvente, divino, poderoso, livre, engraçado, culto, fluente, iluminado, sonhador, equilibrado, brilhante, bem-sucedido, valoroso, aberto, piedoso, forte, criativo, pacificador, justo, famoso, disciplinado, feliz, bonito, desejável, bem-aventurado, entusiasta, corajoso, precioso, afortunado, maduro, artístico, vulnerável, consciencioso, fiel, magnífico, cósmico, atraente, concentrado, carinhoso, romântico, afetuoso, sortudo, positivo, grato, gentil, sossegado, delicado, querido, extravagante, decidido, malicioso, terno, disposto, oportuno, irresistível, generoso, calmo, despreocupado, condescendente, paciente, não-crítico, bom, atencioso, místico, leal, ligado, articulado, espontâneo, organizado, razoável, humorístico, grato, contente, adorado, brincalhão, polido, útil, pontual, engraçado, compreensivo, seguro de si, dedicado, otimista, radical, inteligente, digno de confiança, ativo, glamouroso, intrépido, vivo, ardente, objetivo, inovador, acalentador, *superstar*, maravilhoso, líder, sólido, campeão, rico, selecionador, simples, genuíno, dado, afirmativo, enfeitado, fértil, produtivo, audacioso, sensível.

Você tem todas essas qualidades. Tudo o que tem a fazer para manifestá-las é revelá-las, apropriar-se delas e incorporar cada uma. Se conseguir perceber em que ponto da vida manifestou uma determinada característica, ou em que situações consegue se imaginar expressando-a, você conseguirá se apropriar dela. Você precisa estar disposto a dizer: "Eu sou isso". O próximo passo é encontrar o benefício correspondente a essa característica. Diferentemente do lado sombrio, o dom costuma ser óbvio, mas muitos precisam enfrentar seu medo e a própria resistência. Outros desenvolveram sofisticados mecanismos de defesa para reforçar a convicção de que não têm talento ou de que não são criativos como determinadas pessoas. E é de importância vital estar tão comprometido com a incorporação do positivo quanto do negativo.

Talvez seja particularmente difícil incorporar certos traços que contradizem a realidade externa. É difícil incorporar a palavra "rico" se a pessoa estiver desempregada ou com dívidas. Em casos como esse, é importante ser capaz de imaginar circunstâncias em que você pode ficar rico, como um novo emprego ou uma nova carreira. Caso você não consiga incorporar uma determinada palavra, é improvável que chegue a provar a experiência. Se você olhar no espelho e enxergar uma pessoa acima do peso, isso pode complicar a situação, se a palavra que você não está conseguindo incorporar for "esbelto". Mas, enquanto você não se apropriar da pessoa esbelta que existe dentro de você, ela nunca poderá aparecer. Se você for solteiro e quiser se casar, terá de incorporar seu aspecto casado. Cada um de nós resiste a coisas diferentes. Algumas delas apresentarão inúmeras evidências para apoiar a sua convicção de que elas não pertencem a você, mas todas as pessoas podem descobrir essas características em si mesmas, quando procuram com empenho.

Marlene era uma mulher de pouco mais de 40 anos que freqüentava meu curso. Fisicamente, era muito bonita, mas parecia cansada e triste. Percorri a lista das características positivas com o grupo e pedi a todos que escrevessem as palavras que não conseguissem incorporar. Marlene tinha umas vinte. Começamos a fazer o mesmo exercício que fora feito com as características negativas, só que dessa vez Marlene sentou-se numa cadeira, na frente de duas pessoas. Ela começou, afirmando: "Sou bem-sucedida", e as duas outras pessoas repetiam a palavra, dizendo: "Você é bem-sucedida".

Durante o exercício, vi Marlene incorporar muitos de seus aspectos. Então, consultando a lista dela, eu lhe disse para apropriar-se das palavras "*sexy*" e "desejável". Marlene interrompeu o exercício e sacudiu a cabeça negativamente, afirmando que não havia a menor possibilidade de ela conseguir incorporar essas palavras. Veio à baila o fato de que Marlene estava se esforçando para recuperar seu relacionamento com o marido; alguns meses antes, descobrira que ele tinha um caso, e por isso sentia-se muito pouco desejável. Quando ela finalmente começou a trabalhar com a palavra "*sexy*", a princípio mal conseguia balbuciá-la. Depois de fazer algum esforço, ela disse: "Eu sou *sexy*", mas sem nenhuma emoção. Por uns dez minutos, ela fez isso mecanicamente. Marlene tinha certeza de que "*sexy*" não era uma de suas características, porque, se fosse, o marido não a teria traído.

Marlene estava fazendo esse exercício com duas parceiras; então decidi pedir a um jovem muito atraente para trocar de lugar com as moças. Marlene ficou muito nervosa quando eu lhe disse que Tom iria ser seu parceiro. Quando ele puxou a cadeira para a frente de Marlene e disse: "Você é *sexy*", ela simplesmente ficou parada, olhando para ele. Ajoelhada ao lado de Marlene, insisti para que ela repetisse as palavras de Tom. Com lágrimas escorrendo pelo rosto, Marlene disse, por fim: "Eu sou *sexy*". Tom fixou o olhar nos olhos de Marlene e disse: "Sim, você é *sexy*". Marlene disse mais uma vez: "Eu sou *sexy*". Continuaram fazendo isso por umas vinte vezes, até que Marlene conseguiu dizer: "Eu sou *sexy*" sem se encolher ou chorar.

Em seguida, pedi a Tom para ajudar Marlene com a palavra "desejável". Tom se inclinou de novo para a frente e disse com firmeza: "Marlene, você é desejável". No mesmo instante, ela começou a chorar incontrolavelmente. Ninguém, inclusive ela, tinha lhe dito que ela era desejável, naqueles últimos anos. Trabalhamos com Marlene até ela ser capaz de dizer: "Eu sou desejável". Começou como um sussurro. Tom agarrou as mãos dela, dizendo novamente: "Você é desejável". Marlene acompanhou-o, repetindo as palavras: "Eu sou desejável", cada vez sentindo-se mais triste em relação ao seu relacionamento com o marido.

Demorou quase meia hora para que ela pudesse lidar com a palavra "desejável", mas, assim que conseguiu dizê-la em voz alta por um número suficiente de vezes, ela foi capaz de despertar a lembrança do tempo em que se sentia desejável. Pude ver no seu rosto o momento em que ela se lembrou daquela parte de si mesma. Alguma fagulha se acendeu e ligou-a novamente àquele pedaço sagrado do seu ser. Quando ela atingiu esse ponto, pedi-lhe que se levantasse e gritasse: "Eu sou desejável!" Marlene fez isso com alegria nos olhos, e foi aplaudida. Todos nós havíamos passado por um processo surpreendente. Era como se tivéssemos dado à luz uma nova pessoa.

Sentir a dor de incorporar coisas que você rejeitou é essencial para esse processo. Nem todos os aspectos rejeitados despertam emoções tão fortes, mas, quando você se deparar com um desse tipo, deve ficar com ele até conseguir quebrar o poder que esse traço tem sobre você. O ato de repetir uma palavra inúmeras vezes tem a capacidade de desencadear uma variedade de respostas. Você pode sentir raiva, resignação, medo, vergonha, culpa, alegria, excitação ou um sem-número de emoções. Não existe uma forma correta e exclusiva de sentir, mas o importante é conservar o sentimento. Não importa como você se sinta, não fuja, porque, ao se comprometer com o processo de recuperar os aspectos rejeitados, você está dizendo ao Universo que está pronto para ser inteiro.

Apropriar-se de um traço positivo que você rejeitou antes é assustador, pois isso exige que você deixe para trás todas as histórias e desculpas. Você tem de abandonar todos os motivos que aparentemente justificavam o fato de você não ter alcançado tudo o que desejou na vida. Num dos meus cursos, havia uma mulher chamada Patty que não conseguia se apropriar da característica "bem-sucedida". Ela passara toda a vida adulta tomando conta do marido e dos filhos. Quando ainda era menina, haviam-lhe dito para esquecer por completo seu sonho de tocar violoncelo profissionalmente e lhe ensinaram que uma mulher de bem deveria se casar e ter filhos. Uma ou duas vezes ela mencionara ao marido seu desejo de ter aulas de violoncelo, mas ele sempre lhe respondera que aquilo era um desperdício de dinheiro. Na ocasião em que a conheci, Patty estava perto dos 60 anos, e seus filhos já eram adultos. Quando ela escreveu a lista de nomes das pessoas que admirava, notei que todas eram mulheres bem-sucedidas no mundo das artes. Quando chegou a vez de Patty fazer o exercício de espelhamento, ela não conseguia dizer: "Sou bem-sucedida". Seu estado emocional oscilava entre o riso e o choro.

Patty decidira que ser bem-sucedida era ter uma carreira; mas, quando lhe perguntei se ela havia sido uma mãe bem-sucedida, ela respondeu que sim, que os filhos todos estavam muito bem. Então lhe perguntei se o seu casamento fora bem-sucedido, e Patty sorriu, dizendo que sim, estava casada havia mais de trinta anos. Perguntei a Patty se alguma vez ela cozinhara uma refeição que fora um sucesso, e ela, sorrindo, respondeu que era ótima cozinheira. Lentamente, Patty foi percebendo que era bem-sucedida. Ela levou mais ou menos vinte minutos para conseguir dizer a palavra, até que finalmente a assimilou. Ela deixou o curso de cabeça erguida. Dez meses depois, recebi uma carta de Patty contando-me que voltara a tocar violoncelo, num pequeno teatro perto de sua casa, sempre que precisavam dela. Disse-me que, tendo incorporado seu sucesso, agora ela ganhara confiança para manifestar seus outros desejos.

Ensinaram-nos a não reconhecer nossa grandeza. A grande maioria das pessoas acredita que tem alguns traços positivos e outros não. Mas somos todas as coisas, tanto aquelas que nos fazem rir quanto as outras, que nos levam ao choro. Somos todos os aspectos belos e feios compactados em um só ser. É hora de você exibir todas as suas qualidades. Quando conseguir se apropriar da sua lista inteira, você estará verdadeiramente na presença de Deus.

Harry era um homem de 75 anos que freqüentara um programa de recuperação para pessoas com dependência mútua durante quase dez anos. Ele compareceu ao meu curso com sua mulher para ver se conseguia recuperar seu relacionamento conturbado. Assim que conheci Harry, ele me contou como era emocionalmente desequilibrado. Freqüentara um programa de doze etapas; por isso se sentia à vontade para descrever sua condição emocional doentia. Começamos com a apropriação dos traços positivos, e, ao ler a lista de Harry, percebi que faltavam duas palavras: "saudável" e "inteiro". Ele não acreditava mais que conseguiria ficar saudável emocionalmente, por isso eu lhe dei um exercício. Pelo resto do dia, todas as vezes em que sentisse vontade de dizer que estava doente, ele teria de dizer que estava saudável e inteiro.

Harry estava tendo dificuldade para digerir essas qualidades. No meio do dia, quando começamos a espelhar os traços positivos, ele, com profunda resignação, começou a dizer: "Eu sou saudável". Depois de conseguir incorporar a palavra, seguiu adiante para: "Eu sou inteiro". Ficamos todos muito comovidos pela coragem e determinação de Harry. No meio do exercício, ele nos disse que finalmente conseguira, e que essa era a primeira vez em que ele se sentira inteiro e saudável. O dia continuou a ser uma revelação para Harry, quando fizemos com o grupo o exercício do perdão. Depois de se apropriar de suas qualidades positivas e negativas, Harry estava pronto para desconectar todas as características negativas que projetara em sua mulher. Isso lhe deu condições para ver Charlotte como uma mulher forte, bonita e amorosa, que se preocupava profundamente com ele, em vez de uma mulher sem valor envolvida num relacionamento de dependência. Harry e Charlotte, então, fizeram o exercício juntos e tiveram uma recuperação fantástica. Ambos expressaram uma soma enorme de sentimentos que haviam refreado. Ao assumir a própria luz, tornaram-se capazes de incorporar a luz um do outro.

Logo depois do seminário, Harry teve um derrame e morreu. A mulher dele me telefonou para agradecer o trabalho que eu havia feito com o marido. Charlotte contou que, ao se aceitar por inteiro, Harry tivera uma profunda recuperação interior. Pela primeira vez em anos, ele permitira que o casamento deles se tornasse uma relação forte e excitante. Charlotte também disse que Harry sabia que não duraria muito, e, pela leitura do diário que ele escrevera durante o curso, ela sabia que o marido morrera em paz, amando e aceitando todo o seu ser. Ele via a divindade não só nele mesmo como também na esposa. Charlotte derramou lágrimas de alegria pela oportunidade que ambos tiveram de usufruir a beleza um do outro antes que Harry se fosse.

Uma vez tendo recuperado nossas projeções positivas, provamos da paz interior – a paz profunda que nos mostra que somos perfeitos exatamente do jeito que somos. A paz se inicia quando deixamos de lado a pretensão de ser alguma outra coisa diferente do nosso verdadeiro eu. A maioria das pessoas nem sequer percebe que pretende ser menos do que realmente é. De alguma forma, nós nos convencemos de que o que somos não é o bastante. Deixe que o mundo interior se manifeste e ele lhe mostrará o caminho da liberdade – liberdade para ser *sexy*, desejável, talentoso, saudável e bem-sucedido.

Quando você não reconhece todo o seu potencial, você não permite ao Universo que ele lhe dê seus talentos divinos. Sua alma anseia por usar todo o seu potencial, e só você pode criar condições para que isso aconteça. Ou você escolhe abrir o coração e incorporar todo o seu ser, ou continua a viver com a ilusão de quem você é hoje. E o perdão é o passo mais importante na trilha do amor-próprio. Devemos nos ver com a inocência das crianças e aceitar nossas falhas e dúvidas com amor e compaixão. Precisamos deixar de lado os julgamentos severos e entrar em acordo com os erros que cometemos. Temos de saber que somos dignos de perdão e que esse dom divino nos ensina que errar faz parte do ser humano. O perdão vem do coração, não do ego, e é uma escolha. A qualquer momento, podemos renunciar aos nossos ressentimentos e juízos e perdoar a nós e aos outros. Ao recuperar nossas projeções e encontrar nossos benefícios, tornamo-nos capazes de ter piedade por nós mesmos, e fica natural ter compaixão por quem guardávamos ressentimento. Quando percebemos em nós aquilo que odiávamos nos outros, podemos assumir a responsabilidade pelo que existe entre nós e eles.

Rilke escreveu que "talvez todos os dragões da nossa vida sejam princesas que estão esperando nos ver de repente, lindos e corajosos. Talvez todas as coisas terríveis, no fundo, sejam algo que necessita do nosso amor". O amor que não inclui a aceitação total de você mesmo é incompleto. As pessoas são educadas para procurar o amor de que precisam fora de si mesmas. Mas, quando deixamos de ter a necessidade do amor do mundo exterior, o único caminho para nos consolar é nos voltarmos para dentro, a fim de encontrar aquilo pelo qual lutamos para conseguir de outros e dá-lo a nós mesmos. Todos nós merecemos isso. Devemos deixar que o Universo interior, nossa mãe e nosso pai divinos, nos ame e nos acalente.

Quando minha amiga Amy estava à beira do divórcio e tentava resolver o relacionamento com o marido, parecia impossível para ela livrar-se da raiva. Todos os dias acontecia alguma coisa que a deixava perturbada. Amy estava tentando desesperadamente amar a si mesma fazendo essa terapia emocional, mas isso muitas vezes parecia impossível. Até que, numa tentativa para se livrar de seus sentimentos negativos, ela escreveu uma lista daquilo que amava e do que odiava em Ed. É claro que a lista ficou longa nas duas colunas, mas, devagar, Amy foi conseguindo recuperar suas projeções positivas, tanto quanto a maioria das negativas.

Havia uma palavra recorrente da qual Amy não conseguia se apropriar. Era "morta". Quando Amy ficava brava, via Ed emocionalmente morto. Ela tentava incorporar "morta", mas não conseguia se imaginar como ele. Amy tinha todas as evidências do mundo para provar que estava emocionalmente viva. Para ela era fácil rir, gritar e chorar. Amy vivia de forma intensa toda a gama de emoções. Apesar disso, a palavra que mexia com ela era "morta". Por esse motivo, ela continuava a procurar a parte morta de si mesma.

Meses se passaram. O divórcio de Amy foi concluído e ela estava bem. Mas, todas as vezes em que se aborrecia, surgia de novo aquela palavra – "morta". Amy começou então a sair com Charles, um rapaz bem mais novo do que ela. Certo dia, ela e o filho, Bobby, iam passear com Charles. Quando Charles entrou no carro, tirou a fita da Vila Sésamo que eles sempre ouviam e pôs a de Aaron Neville. Charles começou a cantar e a se virar para rir com Bobby, que estava radiante de alegria. De repente, as lágrimas começaram a correr pelo rosto de Amy. Ela não conseguia parar. Era um momento muito bonito, e ela não sabia por que estava tão perturbada. Então, Amy percebeu que estava se sentindo morta. Ali estava Charles, moço, cheio de energia, entusiasmado com a vida, e ela se deu conta de que uma parte dela estava morta; já não saltava, cantando e dançando.

A boa notícia foi que Amy, depois de ter incorporado sua parte morta, não tinha mais Ed conectado a ela. Ao amar e acalentar essa parte rejeitada, ela foi capaz de perdoar a si mesma e a Ed. Foi a raiva dela em relação a Ed que a levou à caça do tesouro, para encontrar a parte escondida do seu ser. Sem isso, Amy não teria descoberto a parte dela mesma que precisava despertar. Ao incorporar sua morte, ela se tornou capaz de recuperar sua vida.

Procure à sua volta a raiva armazenada. Se você está com medo de descobrir o seu ódio, lembre-se de que a sua energia está enterrada junto com ele. A raiva só é um sentimento negativo quando é reprimida ou quando se lida com ela de forma errada. Se você tiver piedade de si mesmo, conseguirá facilmente deixar que todos os seus aspectos, seu amor e sua raiva, coexistam em você. Toda vez que julgo a mim ou aos outros, sei que estou me prendendo a interpretações negativas de uma característica ou de um acontecimento. Nesses momentos, é essencial que eu expresse minhas emoções de uma maneira saudável.

Uma mulher chamada Carla chegou para participar de um dos meus cursos com um grande sorriso no rosto e uma aura radiante à sua volta. Carla participou com entusiasmo do nosso *workshop* de fim de semana, mas, quando chegou a hora de lidar com a raiva, ela esfriou. Carla disse que não sentia raiva de ninguém. Estávamos fazendo o exercício de bater em almofadas com um bastão de plástico. Esse tipo de exercício normalmente libera muita energia bloqueada. Para Carla, uma mulher alta, com mais de oitenta quilos, deveria ser fácil surrar aquelas almofadinhas, mas ela mal conseguia encontrar forças para levantar o bastão acima da cabeça.

Depois da sessão, fui dar uma volta com Carla e, casualmente, comecei a falar sobre o poder da raiva. Sugeri que, com freqüência, a raiva é quem detém a chave para abrir o nosso coração, e quando ela é liberada permite que nossa energia vital circule pelo nosso organismo. Como Carla ainda não conseguia admitir que estava reprimindo alguma raiva, perguntei-lhe por que ela tinha tanta dificuldade em perder aquela gordura indesejada. Ela me respondeu que aquele era um problema temporário. Sugeri a Carla que fizesse o trabalho de liberação da raiva durante trinta dias, mesmo que não a sentisse. Disse-lhe que, se ela batesse nas almofadas todos os dias, durante cinco ou dez minutos, conseguiria liberar coisas surpreendentes que estavam enterradas dentro dela. Quando Carla me perguntou em que deveria pensar enquanto estivesse batendo, sugeri que, se ela realmente não encontrasse nada que a deixasse brava, poderia espancar a gordura.

Alguns meses se passaram até eu falar de novo com Carla. Quando ela finalmente me telefonou, ainda estava tendo dificuldade para perder peso, ganhar dinheiro e encontrar o relacionamento amoroso que desejava. Minha primeira pergunta foi a respeito do trabalho de liberação da raiva que eu sugerira. Ela me respondeu que não estava fazendo o exercício porque "não estou brava comigo mesma ou com qualquer outra pessoa". Eu lhe expliquei que, quando não conseguimos tudo o que desejamos, é porque estamos mantendo nossos objetivos longe de nós – achamos que não merecemos alcançá-los. Se nos sentimos sem merecimento, isso acontece porque julgamos que existe algo ruim ligado a nós. E, quando sentimos que há algo fundamentalmente errado conosco, em geral sentimos raiva. Carla continuava insistindo que não guardava ressentimentos em relação a ela ou aos outros.

Um ano inteiro se passou antes que Carla me telefonasse novamente. Suas primeiras palavras foram: "Adivinhe? Sinto-me hostil!" Dei um berro de alegria! Carla tinha descoberto suas qualidades ocultas. Disse que se sentira empacada naquele ano todo. Nada em sua vida correra bem. Até que, num esforço para aumentar sua renda, arranjara uma inquilina para morar em sua casa. Depois de uma semana, mais ou menos, ela começou a sentir raiva da mulher. Por mais que tentasse esconder seus sentimentos, toda vez que a inquilina entrava em casa, Carla se sentia perturbada. Percebeu que havia cometido um erro e disse à mulher que ela teria de se mudar. Não tendo nenhum lugar para onde ir, a mulher disse a Carla que sairia assim que arrumasse outro lugar para morar. Carla estava fora de si e pediu à inquilina que se mudasse imediatamente. Ela se descobriu fazendo o que chamava de "coisas maldosas" para se livrar da mulher. Até que ameaçou a inquilina, dizendo-lhe que, caso ela não se mudasse em três dias, atiraria todas as coisas dela no gramado.

O lado escuro de Carla, escondido nas profundezas do seu ser, finalmente se revelara, e ela não podia mais negar os seus aspectos sombrios. Carla foi capaz de ver sua raiva, apropriar-se dela e incorporá-la. Disse-me que ficou tão chocada, a princípio, que não sabia bem o que fazer; por isso usou os métodos que aprendera durante o curso e mergulhou em si mesma para descobrir o benefício de Hortênsia Hostil. Diante da pergunta: "Que dádiva você traz para mim?", Hortênsia Hostil respondeu que a sua dádiva era a energia vital. Disse que, se Carla se decidisse a amá-la e a honrá-la, ela lhe daria toda a energia de que precisava para realizar seus sonhos. Carla sentiu-se capaz de pegar o bastão que havia deixado sem uso por mais de um ano e espancou de tal forma as almofadas que o enchimento saiu pelas costuras. Ela me contou como foi bom poder extravasar aquela carga de ódio e raiva. Meses depois, Carla estava se sentindo muito melhor do que antes. Havia aceitado outro aspecto de si mesma e se perdoara pelos sentimentos hostis. Seus negócios triplicaram, e Carla começou um programa de exercícios e dieta para ver-se livre do excesso de peso.

Muitas vezes, leva algum tempo para conseguirmos ver alguns de nossos traços. Mesmo quando temos o conhecimento e os instrumentos para incorporar todo o nosso ser, há ocasiões em que não estamos prontos para perceber algo doloroso a respeito de nós mesmos. A verdade é que a recuperação que você procura nos seus relacionamentos não virá de outras pessoas; tem que partir, em primeiro lugar, de você. Virá da comunhão entre todas as qualidades que vivem em você.

A desesperança nasce do abismo entre Deus e o ser. Ao lembrar que formamos uma unidade com todos, reanimamos o Deus dentro de nós. Nossa divindade e nossa paixão estão entrelaçadas; assim, quando despertamos uma, fazemos o mesmo com a outra. Aprendemos que a paixão é destinada a coisas externas, a outras pessoas, a outros lugares. Está na hora de desencadear a paixão por si mesmo. E descobrir o amor por tudo o que você é não deixa de ser uma tarefa árdua. Deveria ser fácil e natural, mas para a maioria das pessoas é um dos trabalhos mais difíceis de enfrentar. Se você tem trabalhado essa área por muito tempo e ainda não foi capaz de amar e incorporar tudo o que você é, não desanime. Esse é o nosso maior compromisso; aquele que fomos destinados a cumprir.

A essa altura, sugiro que você crie rituais para si mesmo, se tiver a intenção de fazer o trabalho de acalentar-se. Quando digo às pessoas para irem para casa e se acalentarem, muitas vezes elas ficam totalmente confusas e sempre me perguntam: "Como é que se faz isso?" Para cada um, há uma maneira diferente, mas o mais importante é ter a *intenção* de se acalentar. Se você tiver essa intenção, será capaz de lidar com os detalhes.

Para começar, pegue uma fotografia sua de quando era bebê e coloque-a num lugar onde você possa vê-la várias vezes por dia. Se você vai ao escritório todo dia, ponha uma outra lá. Esse bebê é um aspecto seu que, caso seja cuidado, lhe trará toda a alegria e a felicidade que você sempre quis. Você deve estar um pouco diferente da pessoa daquela foto, mas ainda é uma bela criatura. Nosso coração se abre quando vemos um bebê, e projetamos nosso amor e nossa inocência nele. Quando meu filho nasceu, eu me espantava ao ver estranhos se aproximarem de mim onde quer que eu estivesse. Eles me falavam o quanto ele era bonito, doce, como parecia saudável, especial. Nenhuma dessas pessoas jamais me vira ou a meu filho anteriormente; entretanto, todas tinham certeza de que ele possuía essas características. Projetavam algum aspecto delas em meu filho e partilhavam isso comigo. Meu filho poderia ter sido um monstro e ninguém teria notado.

Leve em conta o que você projeta nos bebês. Você pensa na beleza, na inocência, na perfeição ou na doçura deles? Você acha que eles são mimados, impossíveis, egoístas ou desagradáveis? Acha que eles têm péssimos pais que não sabem cuidar deles? Quaisquer que sejam seus pensamentos, lembre-se de que eles são todos aspectos seus que você está projetando. A menos que você já tenha passado um tempo com uma determinada criança e seja capaz de fazer uma avaliação objetiva, provavelmente estará vendo algum aspecto de si mesmo nos bebês em geral.

Muitas vezes, exibir a foto de um bebê faz as pessoas pensarem na inocência que existe dentro delas. A maioria se compadece mais de bebês do que de outros adultos ou de si mesmo. Se um bebê derrubasse um copo d'água no seu computador, você o olharia aborrecido ou perceberia a inocência da criança e se limitaria a enxugar a água? Nós julgamos bem menos os bebês. Pense em você como uma criança inocente que precisa somente de amor, cuidado e aprovação. Deixe que essa criança receba esse amor. Imagine-se dando amor a essa criança todos os dias. Feche os olhos e evoque uma imagem sua de quando era novo. Pergunte a si mesmo: "Atualmente, o que eu posso fazer por essa criança? Como levá-la a se sentir amada e acalentada?" Ouça sua voz interior. Escute o que esse ser dentro de você quer e necessita. Talvez ele precise ouvir: "Eu o amo, eu aceito você", ou: "Eu valorizo você". Talvez ele anseie por uma noite de folga em meio à sua agenda superlotada, uma escapada para ver um filme ou um cochilo à tarde. Parece que as pessoas têm necessidade de descanso e de reconhecimento. Estamos sempre tão ocupados com nossas atividades que nos esquecemos de cuidar de nós mesmos.

A manhã é um horário sagrado para nos comunicarmos com a nossa divindade. Quando a imobilidade da noite dá lugar a um novo dia, os pensamentos e os sentimentos da manhã podem constituir a base do nosso dia inteiro. Ao reservar alguns minutos da manhã para você mesmo, antes de começar o corre-corre diário, você cria condições para um dia maravilhoso.

Tente massagear-se com óleo antes de tomar banho e agradeça a Deus por todas as partes do seu corpo. Começando pela cabeça, esfregue o óleo e agradeça a Deus por suas feições, seus sentidos, sua voz, seus ouvidos e seu cérebro; em seguida, desça até o pescoço e os ombros, os braços e as mãos, passe pelo peito e pelo estômago. Agradeça ao seu corpo por existir para você, por hospedar a sua alma e por ser uma base forte. Leve a mão aos quadris e desça-a pelas pernas, prestando muita atenção em cada parte do corpo que estiver massageando. Quando chegar aos pés, lembre-se de que eles têm carregado você durante muitos anos; por isso, dedique um tempo para abençoá-los e valorizá-los. Com os olhos fechados, percorra todo o seu corpo e verifique se há nele algum ponto em que você esteja sentindo cansaço ou incômodo. Concentre uma atenção cheia de carinho nessas áreas: agradeça-lhes por se comunicarem com você e, então, deixe que a tensão abandone o seu corpo.

Se não tiver tempo para fazer a massagem com óleo, você pode usar uma variação enquanto toma seu banho de chuveiro. Lave cada parte do corpo com amor, agradecendo a cada área por fazer seu trabalho e dar apoio ao resto do corpo. Esse processo todo não deve demorar mais do que cinco minutos; mas, se você não estiver com pressa, dedique-se a ele pelo tempo que quiser. O fundamental é se respeitar, enviando a você mesmo a mensagem de que você é importante. Honre e respeite o seu talento. Ao se honrar e se respeitar, você será capaz de fazer a mesma coisa com os outros, atraindo pessoas que pensam como você e situações positivas.

Se quiser, reserve alguns minutos, todas as noites, para fazer algo de especial para você. Um banho de imersão é uma maneira de relaxar e se livrar do cansaço do dia. Acender velas, apagar as luzes e mergulhar numa banheira cheia de água morna é uma forma deliciosa de acalentar a si mesmo. Você pode meditar, ficar em silêncio ou ouvir um tipo de música que alimente a sua alma. Se não gostar de banhos de imersão, procure criar um ambiente em que você se sinta reconfortado, todas as noites, antes de ir para a cama. Acender velas, usar aromaterapia ou incenso para melhorar seu estado de espírito – são excelentes formas de terminar o dia. Ouça música ou medite em silêncio, mas deixe que o calor do ambiente que você criou penetre em todo o seu ser.

Quando comecei meu processo de recuperação, fiz uma lista de todas as coisas que eu podia fazer para mim mesma. Levei algum tempo para perceber que fazer ginástica não significava acalentar a minha alma. Eu tinha um propósito, que era tornar a minha aparência melhor e manter-me saudável, e era bom para o meu ego, mas não servia ao meu espírito. É importante distinguir entre o que é bom para o respeito próprio e o que faz bem para a alma.

Eu acabara de romper um relacionamento e estava me sentindo muito só. Em vez de mergulhar na tristeza, decidi levar adiante meu projeto de me apaixonar por mim mesma. Toda noite eu preparava um magnífico jantar, embora eu realmente não soubesse cozinhar muito bem. Quando ia ao mercado, eu me perguntava: "O que eu poderia comer hoje à noite que fosse capaz de me acalentar?" Enquanto eu comia, ouvia música e aspirava incenso. Depois do jantar, acendia a lareira e espalhava velas acesas por toda a casa. Era um ambiente criado só para mim. Depois de uma semana ou duas, eu mal via a hora de ir para casa e poder estar comigo mesma. Em vez de ficar esperando encontrar alguém para ter um romance, eu me namorava – e isso dava certo.

Esse ritual noturno mudou tudo na minha vida. Passei a acordar me sentindo contente, relaxada e bem comigo mesma. Todos os dias, eu aprendia mais sobre como acalentar minha alma. Faça para si mesmo o que você gostaria que outra pessoa fizesse. Se gostar de flores, compre flores para você. Ponha uma música suave e acenda velas. Vá a uma loja, escolha alguns perfumes e use-os. Torne-se importante para você mesmo. Vestir-se especialmente para o jantar, mesmo se estiver jantando sozinho, é uma experiência reconfortante, se você não costuma prestar muita atenção à sua aparência. Use roupas que o façam sentir-se bem, mesmo que você não vá sair. Trate-se como se fizesse parte da realeza, porque você faz!

O mundo reflete a sua imagem para você. Se você amar, acalentar e apreciar o seu ser internamente, isso transparecerá na sua vida exterior. Se desejar mais amor, dê-se mais amor. Se quiser aceitação, aceite-se. Eu lhe garanto que, caso você se ame e se respeite do mais profundo recôndito do seu ser, atrairá o mesmo nível de amor e respeito universal. Se você acha que está fazendo isso mas o seu mundo exterior não se parece com o que você esperava, sugiro que se volte para dentro por um pouco mais de tempo. Revele a mentira. Descubra o que você está negando a si mesma, aquilo que você mais deseja.

EXERCÍCIOS

1. Esse exercício é planejado para identificar e liberar energia emocional nociva. Nosso objetivo será o perdão. Nossa intenção é liberar qualquer emoção que o esteja bloqueando – raiva, ressentimento, remorso ou culpa –, sentimentos que o impedem de perdoar a si mesmo ou aos outros.

Escrever num diário é um bom instrumento para ajudá-lo a processar suas emoções. Vai encorajar tudo o que vier à sua mente a fluir para o papel. Isso permite que as emoções nocivas que estão no corpo e na mente se expressem livremente. Assim que assumirmos esse ser nocivo e deixarmos que ele viva sem julgá-lo, ele será liberado.

Para começar, tire tudo o que estiver em seu colo ou em seu caminho. Mantenha perto de você apenas seu diário e uma caneta. Se quiser, ponha uma música suave e acenda algumas velas ou incenso para relaxar. Agora, feche os olhos. Use a respiração para acalmar a mente e render-se ao processo. Respire cinco vezes, lenta e profundamente.

Com os olhos fechados, imagine que está num elevador e aperte o botão que o levará ao quinto andar. Quando a porta se abrir, você verá que está num lindo jardim. Ao passear os olhos pela vegetação e pelas flores, você notará uma linda cadeira, um lugar perfeito para sentar-se e relaxar. Assim que estiver sentado confortavelmente nessa cadeira, respire outra vez, bem fundo e devagar. Agora faça a você mesmo as perguntas que vêm a seguir e deixe que as respostas lhe ocorram. Então, abra os olhos e escreva-as. Repita o processo com cada uma das quatro perguntas, sempre fechando os olhos e respirando algumas vezes, profunda e vagarosamente, para poder limpar a mente e ouvir as respostas do seu coração.

a. Que história eu inventei sobre quem eu sou de verdade que possa explicar as condições da minha vida atual?

Diário
b. Quais são os ressentimentos, as velhas mágoas, a raiva ou os remorsos que carrego no meu coração?

Diário
c. A quem na vida eu não me dispus a perdoar?

Diário
d. O que precisa acontecer comigo para eu perdoar a mim e aos outros?

Diário
e. Agora faça uma lista das pessoas a quem você deve perdoar e escreva uma cartinha a elas. Caso sua lista seja grande, escreva tantas cartas quantas conseguir. O que não for possível terminar agora, faça-o depois.
f. O que você precisa dizer a si mesmo para tomar consciência de sua vida até agora?

2. *Escreva uma carta perdoando a si mesmo.* Faça uma lista das três pessoas que você mais admira. Escreva três qualidades que cada uma delas lhe inspira. Então faça uma lista maior com as nove qualidades. Percorra a lista das características positivas nas páginas 168-69 e anote aquelas que não for capaz de incorporar a você. Acrescente essas palavras à sua lista de nove qualidades.

Agora, pegue essa lista de palavras e fique diante de um espelho, sentado ou em pé. Tomando cada palavra separadamente, olhe dentro de seus olhos e repita a frase: "Eu sou um _____". Continue a repetir a frase até não sentir mais nenhuma resistência em relação à palavra. Escolha um horário, todos os dias, para se apropriar de um ou dois termos da sua lista. Se não for capaz de ir adiante porque parou numa determinada palavra que não quer ou não consegue incorporar, prossiga na lista e volte a essa palavra mais tarde.

10

A Vida Merece Ser Vivida

A manifestação de seus sonhos começa com a difícil tarefa de descobrir o que eles verdadeiramente são. Enquanto somos crianças, seguimos as pegadas de nossos pais e professores. Aceitamos sua orientação e seu discernimento para nos guiar nas tarefas escolares; eles influenciam a nossa escolha com relação a esportes, passatempos e outras atividades que ocupam nosso tempo livre. Quando ficamos adultos, escolhemos a carreira e os colegas baseados nos ideais estabelecidos pelos mais velhos. Mas em que ponto paramos de ouvir essas vozes externas e entramos em sintonia com nossos guias interiores? Em que momento decidimos que talvez o caminho que estamos trilhando não seja, de fato, o nosso? Seria essa a razão que nos leva a sentir que falta algo na nossa vida?

Esse é o tipo de pergunta que mais tememos, porque exige de nós uma segunda avaliação do que temos pensado até agora. Alguma vez você já questionou sua crença em Deus? Para alguns, questionar a doutrina sagrada é um pecado mortal; mas, se não desafiarmos nossas crenças mais básicas, não cresceremos espiritualmente. Nossa vida correrá simplesmente ao longo das linhas estabelecidas pelos nossos pais, e não passaremos jamais dos limites que eles estabeleceram para nós quando éramos crianças. Este capítulo trata da partida para um território desconhecido. Ele vai guiá-lo rumo a uma vida de grandeza e serenidade. Em vez de dizer: "Não posso fazer isso", você precisa perguntar: "Por que eu não faria isso? Estou com medo de quê?" Essas perguntas desafiam as amarras que o mantêm preso. O objetivo deste capítulo é fazer você descobrir qual é a finalidade da sua vida.

Indagar-se se você está no caminho certo parece fácil. A parte difícil é ouvir a resposta do coração. Sua mente terá uma resposta, mas seu coração talvez tenha outra. O medo pode incitá-lo a manter o rumo atual, enquanto o amor pode instigá-lo a mudar de rumo. Você precisa acalmar a mente para ouvir qual é o chamado mais alto e abrir o coração para descobrir onde mora o amor. Se decidir seguir suas paixões e seus desejos, precisa ser forte o suficiente para ouvir as respostas da sua alma. Se você se mantiver na superfície, o cenário parecerá sempre o mesmo. Aventure-se em águas mais profundas e um mundo mágico estará à sua espera.

Mas temos medo de afundar, de errar, de falhar. Seus desejos são suficientemente importantes para fazer você enfrentar seus medos? Você os quer realizar de verdade? A escolha é sua: você pode mudar sua atitude de resignação para uma de comprometimento;

passar de uma condição de medo para um estado amoroso. O primeiro passo é questionar a si mesmo, para transformar radicalmente suas certezas em perguntas. Troque: "Sou um fracassado" por "Eu poderia ser um sucesso?" Mude: "Estou aborrecido com minha vida" para "Eu seria capaz de ser animado?" Transforme: "Minha vida não faz diferença" em "Eu faria alguma diferença para o mundo?"

A necessidade de ser corretos, de nos sentirmos seguros nos impede de assumir um compromisso com a vida. Ficamos inseguros ao questionar nossos motivos. O que você prefere: estar certo a respeito de ser um fraco ou estar errado quanto à sua capacidade de ser grande? Você escolheria estar no controle de uma pequena soma de dinheiro ou inseguro em relação a como equilibrar uma conta bancária polpuda? Entre permanecer num emprego de que você não gosta e se arriscar criando um empreendimento próprio, qual seria sua escolha? Você é feliz? Está seguindo os impulsos do seu coração? Se soubesse que só tem um ano de vida, você continuaria a fazer o que está fazendo agora? Você faria as mesmas escolhas para a sua vida?

Feche os olhos e focalize mentalmente um lugar dentro de você, bem no fundo, onde se sinta a salvo e à vontade. Pergunte a você mesmo o que gostaria de estar fazendo nesse exato momento da sua vida. Por que não está se dedicando à busca desse sonho? Do que você tem medo? Faça a você mesmo a pergunta que lhe fiz: o que você faria se tivesse apenas um ano de vida? O que você mudaria? Mantendo as respostas na quietude do seu coração, comprometa-se a mudar sua vida, de forma a poder manifestar seus sonhos. Comprometa-se a sempre prestar atenção à sua própria verdade e a dar ouvidos a ela. Proponha-se a deixar o Universo guiá-lo em direção àquilo que o seu coração deseja. Só esses compromissos já mudarão sua vida. Ao fazer isso, você estará dizendo a você e ao mundo todo: "Mereço ter o que quero e farei o que for necessário para realizar meu desejo". W. H. Murray escreveu:

Até que uma pessoa se comprometa, há a vacilação, a oportunidade de recuar, a ineficiência de sempre. No que diz respeito a todos os atos de iniciativa (e criação), só existe uma verdade elementar: o fato de não sabermos o que mata inúmeras idéias e esplêndidos planos e que, no instante em que alguém se compromete definitivamente, a Providência muda também. Então, para ajudar essa pessoa, acontecem coisas que de outra forma jamais ocorreriam. Uma sucessão de acontecimentos emana da decisão tomada, gerando toda espécie de incidentes imprevistos, encontros e apoio material que favorecem essa pessoa e que ninguém jamais sonharia que se apresentariam dessa forma. Dê início a qualquer coisa que você possa fazer ou sonhar. A ousadia tem talento, poder e magia.

Sem comprometimento, o Universo não pode produzir os acontecimentos de que precisamos para realizar nossos desejos.

Infelizmente, a maioria das pessoas não se compromete com aquilo que quer. À noite, na cama, rezamos para ter uma vida melhor, um corpo melhor, um emprego melhor, mas nada muda. Isso acontece porque mentimos para nós mesmos. Em geral, o que pedimos em nossas orações e aquilo com que estamos comprometidos são coisas totalmente diferentes. Rezamos para ter uma vida mais saudável, mas somos sedentários. Pedimos a Deus um relacionamento gratificante, mas ficamos sentados em casa. Estamos mais à vontade com o *status quo*. Porém, quando percebemos que ninguém está vindo para nos salvar ou fazer algo por nós e que nossas velhas feridas continuam lá, quer gostemos delas ou não, então nos damos conta de que somos nós que temos de exercer o nosso potencial. É mais fácil acusar os outros do que assumir responsabilidades. "E se eu falhar? E se eu me magoar? O que os outros vão pensar de mim?"

A primeira vez em que tentei parar de consumir drogas foi algumas semanas antes de fazer 29 anos. Eu escolhera o caminho da intoxicação pelo consumo de drogas por quase quinze anos. Minha vida era um mar de depressão e dor. Externamente, eu parecia inteira, mas por dentro estava agonizando.

Depois de ter sido liberada pelo quarto centro de tratamento para viciados, por fim me comprometi a recuperar minha vida. Antes dessa decisão, sempre que me sentia um pouco mal, com raiva ou solitária, eu voltava para aquela estrada que não me levava a lugar nenhum. Mas naquele lindo dia, em Miami, eu dirigia meu conversível sentindo a brisa no rosto. Vivia por completo aquele momento, cheia de gratidão por estar viva e inteira.

Tive uma visão de que poderia realmente me recuperar de todos os vícios: cigarro, drogas, comida, consumismo e sexo. Eu consegui me ver percorrendo o país, compartilhando minha mensagem de recuperação com outras pessoas. Eu me ouvi dizendo: "Você pode fazer isso, pode ter tudo, pode recuperar-se completamente!" Meu corpo tremeu de emoção. Eu estava animada e assustada ao mesmo tempo. Sentia uma necessidade irresistível de retribuir todo o amor e o apoio que recebera. Naquele momento, diante de um sinal fechado, em frente ao Aventura Mall, em North Miami Beach, compreendi que a minha vida poderia ser e seria diferente. Eu sabia que, se me comprometesse a fazer o que fosse preciso para lidar com o meu ódio, a minha raiva, a teimosia e a retidão, para confrontar meu ego e toda a sua grandiosidade, eu, Deborah Sue Ford, seria capaz de dar alguma coisa a este mundo.

Foi essa visão que me trouxe até este ponto da minha vida. Todas as vezes em que eu queria parar, desistir de trabalhar minha vida emocional, uma vozinha dentro de mim dizia: "Não. Você ainda não terminou. Ainda não está recuperada". Sempre que me vinha a vontade de apontar um dedo acusador para alguém, uma vozinha dentro de mim perguntava: "Qual é o seu papel nesse drama? Por que está carregando isso para a sua vida?" Todas as células do meu corpo estavam engajadas no compromisso de me recuperar completamente. Por isso, mesmo nas ocasiões em que eu não queria ir à terapia, comparecer a um seminário ou lidar com mais uma camada da minha dor, eu me forçava a fazê-lo, porque estava mais comprometida com minha recuperação do que em me sentir bem o tempo todo.

Freqüentei as reuniões dos Vigilantes do Peso, não porque eu estivesse com excesso de peso, mas por ter descoberto que era capaz de devorar um bolo de chocolate inteiro de uma só vez. Antes eu consumira drogas para mudar minha maneira de ser, e comecei a perceber que estava fazendo a mesma coisa com a comida. Em função do meu comprometimento, decidi não substituir um vício pelo outro. Poderia simplesmente continuar a comer até chegar à insensibilidade, mas resolvi lidar com a questão. Sabia que, para mudar minha vida de verdade, eu teria de sentir algum desconforto durante um período. O compromisso de me recuperar era o catalisador para a minha transformação. Sem ele, eu teria continuado a amortecer a dor com comportamentos viciados.

Eu quero que você saiba que estou longe daquilo que se pode considerar perfeito, mas a minha missão não é mais ser perfeita. Minha missão é ser íntegra, completa, perfeita e imperfeita ao mesmo tempo. Minha missão, agora, é ouvir minha sabedoria interior e viver da maneira mais íntegra que eu puder. Meu compromisso é amar a mim mesma tanto quanto for humanamente possível, porque eu sei que, fazendo isso, serei capaz de amar você. Os processos terapêuticos que compartilho com você são os únicos que conseguiram dar um fim ao meu sofrimento e me transmitiram conhecimento e coragem para que eu me recuperasse por completo. Se eu não tivesse vivido de acordo com esse compromisso, não estaria escrevendo este livro agora. Esse compromisso me levou a explorar centenas de diferentes modalidades de recuperação; guiou-me intuitivamente para as pessoas, lugares e experiências que me ensinaram lições de que eu precisava.

Não tenha medo, se não souber o que quer. Comprometa-se simplesmente a viver todo o seu potencial. Viva o momento, e o Universo se encarregará de lhe mostrar seus talentos, que são únicos. Seu compromisso vai guiá-lo para os lugares a que você precisa ir, aos livros que deve ler e às pessoas que vão ajudá-lo e ensiná-lo. Há um velho ditado budista que diz: "Quando o discípulo está pronto, o mestre aparece". Centenas de professores têm aparecido na minha vida nos últimos 14 anos. Surgiram na forma de amigas, de parceiros amorosos e de sócios. Muitos se mostraram ladrões e mentirosos. Todos com quem mantive um relacionamento – positivo ou negativo – se aproximaram de mim para me ensinar, me guiar e me ajudar a cumprir o meu compromisso. Minha amiga Annimika diz: "Todos os que chegam à sua porta vêm para recuperá-la". Mesmo as pessoas que freqüentam meus seminários estão lá para me recuperar. A compreensão disso mudou toda a interação que eu tinha com outras pessoas.

Tenho um amigo que está, no mínimo, uns 45 quilos acima do peso. Ele sempre me conta como se alimenta bem e que seu problema não é a dieta. De certa forma, ele está certo. A comida não é o problema. O problema é que ele mente a si mesmo sobre seus hábitos alimentares. Ele é viciado em comida e não quer admitir isso e procurar ajuda. O vício tem grande força e a recusa em reconhecê-lo é uma assassina que destrói as oportunidades de as pessoas alcançarem seus objetivos. Quando assumimos um compromisso, precisamos estar dispostos a cavar até as raízes das nossas condições atuais. Se você estiver realmente comprometido a perder peso, o fato de descobrir que é viciado em comida é uma bênção – é um passo necessário no processo de atingir seu objetivo. Mas, se o seu primeiro compromisso for acreditar que não tem nenhum distúrbio relacionado com a alimentação ou que seu metabolismo funciona devagar, será muito difícil chegar ao seu segundo objetivo: perder peso. Vá fundo o bastante para descobrir a verdadeira causa do seu problema, comprometa-se, e seus sonhos se tornarão realidade.

Seja um guerreiro quando se tratar de seus sonhos. Tenho encontrado tantas pessoas que me falam de suas paixões como se fossem moedas de grande valor encerradas em vitrines de museus. Elas rezam silenciosamente, à noite, para que seus desejos se realizem, mas o medo e a resignação as tornam passivas. Sabe quem consegue aquelas moedas? É a pessoa que elabora um plano de ação, que escreve uma declaração assumindo uma missão, que se compromete. Esse é o caminho para uma vida mais iluminada, para viver a verdade.

Meu amigo John é compositor e cantor, tem 36 anos e um talento extraordinário para a música. Quando lhe falei pela primeira vez sobre seus dotes musicais, ele não quis nem me ouvir. Disse-me: "Pare, por favor. Não quero pensar nisso". Levou um bom tempo até John admitir que, em algum momento, havia fantasiado sobre ganhar um Grammy e apresentar sua música diante de milhares de pessoas. Mas, aos poucos, quando ele afinal passou a falar a respeito de sua música e de seus sonhos, o rosto dele se iluminou. Quando interpretava as canções, a paixão irradiava do fundo do seu ser. Estava muito evidente que a música era tudo o que o coração de John desejava, e, à medida que ele começava a ver isso por si mesmo, bastava apenas manifestá-lo.

Certa noite, sentei-me com ele e, juntos, procuramos descobrir quais eram os compromissos que o impediam de se tornar um cantor e um compositor de sucesso. Pegamos uma folha de papel e, de um lado, relacionamos os itens do seu comprometimento para se tornar um cantor-compositor famoso, enquanto, do outro, escrevemos quais eram as convicções dele que o impediam de concretizar esse sonho. Ficou mais ou menos assim:

Compromissos subjacentes

Eu, John Palmer, não posso fazer isso porque não tenho talento suficiente.

Esse não é um objetivo realista.

Não é o que faria um rapaz italiano de bem.

Não estudei o bastante quando tinha aulas de piano.

Passei os últimos cinco anos tentando alguma coisa parecida e não consegui nada, então por que continuaria nesse caminho?

Sou apenas um garoto e não estou pronto para isso.

Não tenho tempo para sonhos fantasiosos. Preciso de um trabalho de verdade.

Todos esses compromissos e crenças subjacentes impediam John de considerar seriamente a música como uma carreira. Estando de fora, eu não conseguia imaginar por que John não era capaz de ver seu talento do modo como eu via. Porém, quando demos voz a todos os seus medos, foi fácil perceber por que John nunca seguiria uma carreira na indústria da música. Inconscientemente, ele estava mais comprometido com os obstáculos do que com a possibilidade de descobrir se seu ponto de vista tinha algum valor.

Precisamos desvendar todas as crenças que nos impedem de realizar nossos sonhos. Eu as chamo de compromissos subjacentes porque são acordos que fizemos conosco para não atingir nossas verdadeiras metas. Quer você decida ir atrás de seus sonhos ou não, é importante se perguntar o que o dirige e também o que o impede de realizar os desejos do seu coração. Se não nos fizermos essas perguntas, continuaremos a vender barato nossa vida. Se seu objetivo for fazer dieta, ganhar dinheiro ou conseguir um relacionamento melhor, você precisa voltar atrás e descobrir seus compromissos e crenças subjacentes. Não é necessário suprimir essas crenças; deixe que elas existam, assim você pode escolher algumas que o valorizem e deixar o resto para trás.

Vá com calma, agora, e destaque uma folha de papel. Escreva nela uma meta que você não conseguiu alcançar. Anote suas crenças e compromissos subjacentes relacionados com essa meta. Anote-os rapidamente, tentando não pensar muito, e eles fluirão de você. Então volte atrás e questione cada um. Essa crença é um fato ou um juízo formado? Essa é uma questão vital. Quando analisamos a lista de John, ela estava mais ou menos assim:

Compromissos subjacentes
JUÍZO: Eu, John Palmer, não posso fazer isso porque não tenho talento suficiente.
JUÍZO: Esse não é um objetivo realista.
JUÍZO: Não é o que faria um rapaz italiano de bem.
JUÍZO: Não estudei o bastante quando tinha aulas de piano.
JUÍZO: Passei os últimos cinco anos tentando alguma coisa parecida e não consegui nada; então por que continuaria nesse caminho?
JUÍZO: Sou apenas um garoto e não estou pronto para isso.
JUÍZO: Não tenho tempo para sonhos fantasiosos. Preciso de um trabalho de verdade.

Todos os fatores que se interpunham no caminho de John eram juízos formados, tanto por ele quanto por amigos ou familiares. E eram esses julgamentos que estavam regendo a vida de John. Infelizmente, a maioria das pessoas está na mesma situação. Deixamos nossas crenças controlarem nossas vidas. É interessante descobrir que tanto nossos amigos quanto nossos familiares muitas vezes repetem as mesmas crenças que adotamos. Eles nos convencem, ou nós os convencemos, de que esses juízos são verdadeiros. Há pouco tempo, eu estava numa festa com alguns amigos de John. Quando toquei no assunto da música dele, três pessoas, em momentos diferentes, me perguntaram, quase com as mesmas palavras, por que ele não era capaz de fazer uma carreira musical. Será que John adotara os juízos limitadores de seus amigos ou ele lhes falara tanto a respeito que eles passaram a acreditar nos julgamentos de John? De qualquer modo, ele não estava se comprometendo com seus verdadeiros desejos.

A decisão de mudar de vida é séria. Depois de anos trabalhando com pessoas, descobri que muitas delas gostam de falar sobre mudanças mas não querem abandonar os comportamentos que as mantêm presas a padrões negativos. Pergunte a você mesmo se sua busca de paz, alegria e integridade é um drama sem fim ou se você já está pronto para assumir o controle e ser aquele que molda suas experiências. Ninguém de fora é capaz de consertá-lo, mas você pode fazer isso – é você quem tem o poder, as respostas e a capacidade de mudar sua própria vida. E você é o único.

Milhões de dólares são gastos, todos os anos, na tentativa de mudar o corpo, a saúde e os relacionamentos, já que grande parte da humanidade está insatisfeita com alguma área de sua vida. Vivemos num estado constante de querer algo que aparentemente não somos capazes de conseguir. Essa insatisfação, sonhos que nunca se realizam, é o resultado da falsa idéia de que estamos nos dirigindo a algum lugar, quando, na verdade, estamos estacionados. Como podemos ter um desejo verdadeiro ou um objetivo real sem um plano para alcançar essa meta? Sem se comprometer a fazer o que for necessário para realizar seu objetivo, muito provavelmente você nunca chegará a usufruí-lo. Os psicólogos chamam isso de pensamento mágico. Nós nos enganamos ao pensar que um dia concretizaremos nossos sonhos sem jamais ter dado algum passo efetivo para isso. Algumas pessoas meditam sobre seus desejos. Outras falam a respeito deles com os amigos, visitam gurus ou vão à igreja. Muita gente gasta dinheiro com médiuns e cartomantes. E alguns vivem por meio da televisão e dos filmes, enquanto seus sonhos ficam enclausurados.

Esses procedimentos são modos simples de evitar encarar a verdade. Rezar sem agir não é rezar, é sonhar. Como pode Deus nos ajudar se não nos ajudarmos? Certa vez, ouvi a história de um homem que tinha muita fé em Deus. Ele dizia, com freqüência, que sua vida caótica se ajeitaria sozinha, porque Deus cuidaria dele. Quando uma forte tempestade causou uma grande inundação na cidade onde esse homem vivia, enquanto os outros moradores embrulhavam seus pertences e escapavam, o homem decidiu permanecer onde estava, acreditando que Deus cuidaria dele. A água começou a entrar por baixo da porta e pelas janelas. Um caminhão de resgate passou, e os bombeiros gritaram para o homem: "Venha, você não pode ficar aí!" "Não!", ele respondeu, "Deus tomará conta de mim!"

Logo a água estava na altura do peito e as ruas haviam se transformado em rios. Uma lancha da guarda costeira passou junto à casa do homem, e a tripulação gritou para ele: "Nade até aqui e suba a bordo!" "Não!", o homem respondeu mais uma vez, "Deus tomará conta de mim!" A chuva continuou caindo até que a casa inteira ficou submersa. Então um helicóptero sobrevoou a casa, e o piloto localizou o homem rezando em cima do telhado. Lançando uma escada, o piloto falou pelo microfone: "Ei, você aí, agarre a escada e nós o levaremos em segurança!" Mais uma vez, o homem proclamou suas convicções: "Deus tomará conta de mim!" Por fim, ele se afogou. Diante das portas peroladas do Paraíso, o homem se sentia completamente traído. "Meu Deus", disse ele, "pus toda a minha fé no Senhor e Lhe pedi que me salvasse. O Senhor disse que sempre cuidaria de mim e, entretanto, quando mais precisei, o Senhor não estava lá." "O que você quer dizer com isso?", replicou Deus. "Mandei-lhe um caminhão, um barco e um helicóptero. O que mais você queria?"

Não há nada de errado com a fé. Não há nada de errado com a afirmação de suas convicções, mas, em algum ponto, você precisa dar o próximo passo. Comprometa-se a ter o que quer da vida e então planeje para *consegui-lo*. Seja o que for, ele estará lá esperando por você, mas com certeza não vai cair no seu colo. Para descobrir se você está seriamente empenhado em mudar alguma coisa na sua vida, pergunte-se se você tem um plano de ação. Se a resposta for negativa, volte atrás e verifique se você está, de fato, comprometido em atingir a sua meta. Um plano de ação tem de ser registrado no papel. Se não sair da sua cabeça, pode ser mais um sonho do que um plano. Projetos na mente tendem a se perder, a ser esquecidos ou postos de lado pela rotina diária. Convença-se de que terá uma chance maior de alcançar seu objetivo se o anotar num papel e o conservar à mão.

Sem um plano, nossos desejos nos provocam e nos deixam a sensação de vazio. Gandhi disse, certa vez: "Não tenho a menor dúvida de que qualquer homem ou mulher pode alcançar o que tenho, se fizer o mesmo esforço e cultivar a mesma esperança e a mesma fé. De que vale a fé se ela não se converter em ação?" A maior parte do sofrimento que vejo nas pessoas é causado por elas não terem realizado seus sonhos. Elas passam os dias com o pensamento voltado para o fato de estarem vivendo um relacionamento errado ou por não estarem no emprego certo, e, quando lhes pergunto como estão planejando mudar esses aspectos de suas vidas, elas olham para mim como se eu estivesse brincando. Acreditam que, quando elas finalmente "estiverem consertadas", manifestarão todos os seus desejos com facilidade. Questione essa crença.

É fácil fazer um plano de ação. A parte mais difícil do processo inteiro é arranjar tempo para fazê-lo. Sugiro que você escolha uma meta que vem tentando alcançar – a meta que parece mais desencorajadora. Divida-a em quatro partes. Um plano diário, outro semanal, o terceiro mensal e o último, anual. Pergunte a si mesmo: "O que eu posso fazer todos os dias para atingir a minha meta? O que é possível fazer a cada semana para realizar o meu objetivo e continuar fazendo mensal e anualmente?" Faça um calendário com diferentes projetos que o aproximem cada vez mais do resultado desejado. Quando o plano estiver pronto, você se encontrará no caminho certo para concretizar seus sonhos.

Trabalhei recentemente com um homem chamado Nick, que me pedia para descobrir por que ele não conseguia progredir em seu ramo de negócios. Ele se mantinha apegado à idéia de que havia alguma coisa que o segurava, impedindo-o de chegar ao topo de sua realização profissional. Depois de muitas horas de conversa, perguntei-lhe quanto sua empresa faturava anualmente. Ele me respondeu que oscilava entre seis e sete milhões de dólares. Chocada, perguntei-lhe por que não estava satisfeito com esse volume considerável de dinheiro. A resposta de Nick foi que, se conseguisse gerar mais quatro milhões anuais como renda, não precisaria trabalhar tanto. Quando lhe perguntei quanto retirava dos cinco ou seis milhões de dólares, ele me respondeu que mal dava para acertar a folha de pagamento. Sugeri-lhe que talvez o problema não fosse arrecadar mais dinheiro, mas cortar gastos com as despesas gerais; assim ele teria um lucro de 30 por cento sobre esses seis ou sete milhões. Nick não gostou do que eu lhe disse. Ele já decidira que o único meio de realmente ser grande era fazer cada vez mais negócios.

A grande piada era que Nick, sendo consultor, orientava empresários para que seus negócios rendessem mais. Depois de muita conversa, ele mencionou que seu pai lhe dissera, há uns vinte anos, que Nick jamais teria dinheiro, pois sempre gastaria mais do que ganhava. É evidente que Nick acreditara em seu pai e se comprometera, inconscientemente, a cumprir as palavras dele. Naquele momento, Nick precisava firmar um novo compromisso consigo mesmo. Para ser bem-sucedido, ele precisaria ter um lucro de 30 por cento a mais, não importava em quê. Depois de assumir esse compromisso, Nick começou a descobrir dezenas de lugares em que poderia fazer cortes, mas, para ordená-los, precisava enfrentar muitas questões difíceis na sua empresa. Ele sempre gostara de ser considerado o tipo de chefe que jamais conferia as despesas de ninguém e que nunca teve necessidade de ajustar os salários quando os tempos eram mais difíceis. Ele adorava bancar o figurão, e enganara a si mesmo ao acreditar que essa postura caracterizava um homem de negócios bem-sucedido.

Assim, Nick convocou uma reunião com a cúpula da empresa e disse a todos que precisava da ajuda deles para aumentar os lucros de seu empreendimento. Perguntou-lhes como poderiam cortar as despesas da empresa tendo em vista um lucro de 30 por cento. Pela primeira vez, Nick deixou que todos os que participavam do negócio contribuíssem com suas opiniões. Literalmente, ele teve de se reinventar como empresário para atingir sua meta. Precisou assumir a responsabilidade pelas condições da companhia e pelas técnicas de administração ineficientes. Não foi um processo fácil. Depois de muito sofrimento, Nick percebeu que seu compromisso em ter uma empresa de grande porte vinha da sua mente e não do seu coração. Ao reorganizar seu empreendimento, ele começou a se questionar se realmente queria viver na América Central, para onde fora, anos antes, a fim de instalar sua empresa. Perguntou-se se queria continuar viajando pelo mundo durante vinte dias por mês. Assim que Nick conseguiu questionar sua vida profissional, descobriu que estava mais insatisfeito com sua vida pessoal do que imaginara.

Mas, como ele se comprometera a superar os obstáculos à sua satisfação e à sua felicidade, o Universo lhe presenteou com muitos acontecimentos que derrubaram as barreiras existentes. Esses eventos levaram Nick a descobrir que seu primeiro compromisso não correspondia aos desejos do seu coração. Nick estava aberto e pronto para receber essa informação, e encontrara um novo caminho que encheu sua alma de paz. Ele se deu conta de que nunca quisera uma empresa de grande porte com inúmeros empregados. Percebeu que seu sonho era se casar e ter filhos, e para isso precisaria se estabelecer num lugar só. Nick se comprometeu a desenvolver seu lado espiritual e a formar amizades duradouras, que agora eram vitais para sua realização pessoal.

Como muitos de nós, Nick teve de passar por muita dor para descobrir o que o seu coração queria. Se você se comprometeu a alterar uma área da sua vida e não está conseguindo encontrar seu objetivo, observe quais são os comprometimentos subjacentes a que você está atrelado. Você tem de estar disposto a descobrir que alguns dos seus anseios talvez se encontrem em sua cabeça e não em seu coração. Sua mente tentará levá-lo a acreditar que quer mais, melhores e diferentes manifestações daquilo que você já tem. Precisamos revelar a verdadeira natureza dos desejos regidos pelo ego e substituí-los pelos desejos do coração.

Vá além do clamor do seu intelecto. Como Nick, muitos imaginam que, ao realizar os desejos de sua mente, preencherão o vazio que existe dentro deles. Porém, só quando seguirmos nosso apelo mais profundo encontraremos a plenitude duradoura. O que trará satisfação e equilíbrio à sua vida? O que você é nesta vida e o que pretende transmitir ao planeta em que vive? A maioria das pessoas tem apenas lampejos daquilo que sua alma anseia por expressar, mas muitas decidiram ignorar esses apelos. Outras, ainda, permanecem na expectativa, esperançosas, rezando para ter uma oportunidade de expressar seus talentos especiais – sem perceber que o único momento que existe é agora.

Manter a palavra é essencial para o sucesso do seu plano de mudanças. O que você diz a você mesmo e aos outros é fundamental. Se você se comprometer a comer alimentos mais saudáveis e não fizer isso, estará transmitindo a você e ao Universo a mensagem de que você não é confiável. Se disser que vai arranjar um novo emprego no próximo ano e não o fizer, todos entenderão que não se deve levar em conta o que você diz. Mesmo se for uma tarefa pequena, como conferir seu talão de cheques, se não a cumprir, estará informando a você e ao resto do mundo que você não é capaz de manter a palavra. Essas promessas quebradas diminuem nossa auto-estima.

Anos atrás, fui a um programa chamado Forum, um seminário de três dias destinado ao crescimento e ao desenvolvimento pessoal. Foi lá que aprendi o valor de se manter a palavra, e assim consegui mudar minha vida. É muito simples: faça aquilo que diz; se não for fazer, não diga nada. Encare sua *palavra* como o trunfo mais importante que você tem. Lide com ela como se fosse feita de ouro; se você a tratar assim, ela lhe trará ouro, e você será capaz de criar o que quiser no mundo. Cada vez que você fizer o que diz que vai fazer, estará se condicionando, e ao mundo, a contar com você. Quando começar a trabalhar com objetivos maiores, quando disser que vai ganhar mais dinheiro, se apaixonar, escrever um livro ou abrir uma clínica, estará apto a fazer isso.

Se mentimos constantemente a nós mesmos, fica difícil nos darmos algum crédito. Os propósitos para o Ano-Novo, que nunca levamos adiante, são apenas desejos. Sua palavra, se não for levada a sério, não passa de um ruído. A comunicação é um grande dom, mas suas palavras têm um benefício maior para transmitir a você. Podem ajudá-lo a planejar a sua vida; dar-lhe poder e liberdade. Quando você se compromete a fazer algo para você mesmo ou para outra pessoa e sabe que vai cumprir, você tem poder. Quando quer mudar alguma coisa na sua vida ou atingir uma meta, e sabe que é capaz disso, você tem liberdade.

Em *The Soul's Code*, James Hillman diz: "Você nasce com um caráter; ele lhe é dado – um dom, como diziam as velhas histórias – por seus guardiães na hora do seu nascimento". Descobrir o dom com que você nasceu, o propósito de sua vida, é um processo. Leva tempo e exige que você retire as camadas que encobrem o que é realmente seu, sua marca especial. Cada um de nós tem uma vocação. Você tem alguma coisa que ninguém mais possui. Sua vocação pode ser ajudar as pessoas a se recuperarem, ensiná-las, alimentá-las ou descobrir a cura do câncer. Pode ser o seu modo de interagir com as pessoas, a forma de expressar sua criatividade ou o dom de cuidar de crianças. Qualquer que seja o propósito da sua vida, quando você se compromete a descobri-lo e a cumpri-lo, ele preenche seu coração e o inspira.

O dr. David Simon diz:

> No conceito de *dharma*, ou propósito, está contida a idéia de que não há partes de sobra no Universo. Cada um de nós entra no mundo com uma perspectiva única e um conjunto de talentos que permite a todos desenvolver um aspecto nato de inteligência que jamais foi expresso. Quando vivemos em *dharma*, servimos a nós mesmos e àqueles atingidos pelas nossas decisões. Sabemos que estamos em *dharma* quando não conseguimos pensar em outra coisa para fazer na vida além do que já fazemos. Um dos maiores serviços que podemos prestar a uma pessoa é ajudá-la a descobrir seu *dharma*. Esse é um dos mais importantes papéis que os pais exercem na vida dos filhos.

Não entre em pânico se você não souber qual é o seu *dharma* ou propósito neste momento; apenas comece a fazer esse trabalho e confie em que as respostas afluirão de você. Suas vozes interiores estão ali para guiá-lo. Muitas vezes, as pessoas ignoram suas intuições e os guias internos, e assim silenciam a parte que mais pode ajudá-las. Quando você sabe que poderia estar fazendo uma coisa e constantemente faz outra, você está matando o seu espírito e negando a sua essência. Isso dificulta a revelação de sua visão. Até certo ponto, a maioria das pessoas já teve pelo menos um lampejo de sua vocação, mas, por uma razão qualquer, preferiu não segui-la. E quando pensamos que estamos prontos para vê-la e vivê-la, ela se esquiva de nós. Você precisa ouvir a parte do seu ser que vem tentando guiá-lo para finalidades mais nobres. Peça a ela que o redesperte e o oriente para que você faça o melhor que puder. Peça a seus guias interiores que lhe mostrem o propósito da sua vida, e eles o farão. É essencial que você descubra sua vocação pessoal e se lembre de que existe uma razão para você estar vivo.

Quando deixei as drogas pela primeira vez, me ocupei por um tempo com venda de roupas a varejo. Quanto mais eu me trabalhava internamente, mais sentia que precisava encontrar alguma coisa nova na minha vida. Completamente confusa a respeito do que seria, eu me ajoelhava todas as manhãs e rezava a oração que aprendera no livro dos Alcoólicos Anônimos.

Deus, eu me ofereço a Vós – para que façais comigo e de mim o que quiserdes. Livrai-me da dependência de mim mesmo para que eu possa cumprir melhor Vossos desígnios. Levai para longe as minhas dificuldades; que a vitória sobre elas seja um testemunho, para aqueles a quem eu quero ajudar, do Vosso poder, do Vosso amor e do Vosso modo de viver. Que eu sempre consiga cumprir a Vossa vontade!

O ritual da prece diária me fazia acreditar que um dia eu descobriria o propósito da minha vida. Assim, quando tive minha visão, sentada no carro, meses depois, eu sabia que o Espírito Santo estava me mostrando o caminho a seguir.

Muitas pessoas negam sua vocação com medo de não concretizá-la. Preferem não ver seus talentos a encarar o que parece ser um futuro inatingível. Muitos desistem de encontrar seus talentos especiais, mas descobrir a finalidade da nossa vida é algo que verdadeiramente merece o nosso esforço. É um direito de nascença. É a mente que estabelece as nossas limitações.

Sugiro que você crie uma declaração pessoal de missão. Escreva de cinco a dez palavras que realmente o inspirem. Então use-as para escrever uma declaração forte, que o guiará e o manterá na rota certa para realizar o que sua alma propõe. A primeira vez em que tentei isso foi no Curso Avançado oferecido pela Landmark Education. Quando chegou minha vez de falar sobre a visão que eu tinha da minha vida, eu não sabia o que dizer. Então, sem pensar, eu disse o seguinte: "Eu sou a prova de que todas as pessoas são capazes de inventar a si mesmas com base no nada". A princípio, não entendi o que isso significava. Mas, depois de pensar um pouco, percebi que eu de fato acreditava que podemos ser qualquer coisa que o nosso coração quiser. Também acredito que, não importa onde tenhamos estado ou o que tenhamos vivido, somos capazes de nos reinventar diversas vezes. Você não deve permanecer preso a velhos padrões ou antigos comportamentos. Pode mudar de amigos e de profissão quantas vezes for necessário, até conseguir expressar sua marca única.

A declaração de missão que criei faz-me lembrar diariamente daquilo que preciso realizar na vida. Ela me convoca a dar o melhor de mim e deixa aberto o caminho para que eu reinvente e expresse um novo eu tantas vezes quanto quiser. Encontre uma declaração que tenha um significado pessoal para você. Ninguém precisa entender sua declaração, nem mesmo saber da existência dela. Use-a como um lembrete do lugar para onde você está indo e também para se manter no presente.

Gandhi disse: "Os únicos demônios do mundo são aqueles que ficam rondando nossos corações. É aí que a batalha tem de ser travada". A terapia da sombra trata de como abrir o coração e fazer as pazes com os demônios interiores; como incorporar os medos e as fraquezas e sentir compaixão pelo nosso lado humano. Dê a si mesmo o dom do seu coração. Ao abrir o coração para você, você o estará abrindo para todas as outras pessoas.

Você tem condições de ser amado. Você é merecedor. Você é capaz. Confie na sua sabedoria interior e tenha a certeza de que existe bondade na sua essência. Vá além dos limites que você se impôs e comprometa-se a levar uma vida que você ame. Peça ao Universo amor e apoio. Peça a Deus que o preencha com piedade e força. Veja bem onde você está neste momento e, então, suba mais um estágio. Resolva ter tudo; você merece!

EXERCÍCIOS

1. Neste exercício, eu gostaria que você criasse uma declaração de missão na forma de uma declaração de poder. Essa declaração de poder deve conter uma afirmação do que você quer ser no futuro. É possível estabelecer como objetivos saúde, relacionamentos, carreira, crescimento espiritual ou tudo o que foi citado. Feche os olhos e entre no seu elevador interno. Respire algumas vezes, lenta e profundamente, até relaxar por completo. Ao abrir os olhos, você estará no seu jardim sagrado. Caminhe devagar para o lugar de meditação. Quando sentir uma calma interior, mentalize uma imagem do seu eu sagrado. Deixe que essa imagem fique bem clara, nítida e brilhante. Peça ao seu eu sagrado para se aproximar e lhe entregar a mensagem que lhe dará toda a força e a coragem para ter a vida dos seus sonhos. Se tiver algum problema e não conseguir ouvir a mensagem, invente uma que lhe dê poder. Deixe que as palavras que o fazem sentir-se forte cheguem à sua consciência. Quando acabar, agradeça ao seu eu sagrado por tê-lo ajudado, e volte com facilidade à consciência exterior. Pegue seu diário e escreva tudo o que viu na sua mentalização.

   Essa declaração o tornará apto a atingir o próximo nível de crescimento pessoal em todas as áreas da vida. Sugiro que sua declaração seja curta e simples. Esperançosamente, você vai usá-la todos os dias para se lembrar de que tem um objetivo mais alto para sua existência. A seguir, apresento alguns exemplos de declarações de poder criadas por diversas pessoas.

a. Sou um ser espiritual digno de honestidade, amor e abundância.
b. O Universo é meu amigo e meu amado, sempre indo ao encontro das minhas necessidades.
c. Para qualquer lado que eu olhe, vejo beleza, verdade e possibilidades.
d. Sou sábio, sei tudo e deixo que o Universo realize os meus desejos.
e. Não há nenhum desejo verdadeiro que eu não possa manifestar no presente.

Você precisa criar uma declaração que o ilumine e o anime quando a estiver repetindo. Essa é uma declaração destinada a valorizá-lo no dia-a-dia. Pode ser tão simples quanto: "O que importa é quem eu sou".

Leva tempo para formar novos hábitos, por isso comprometa-se a repetir essa declaração para si mesmo durante os próximos 28 dias, não importa o que aconteça. Tente repeti-la de manhã, logo que acordar, antes de sair da cama. Se isso não for possível, faça-o antes de se deitar, à noite. É muito bom começar e terminar o dia lembrando-se dos elevados compromissos que você tem com você mesmo. Recomendo que escreva sua declaração de poder em etiquetas adesivas pregadas em diversos lugares em casa, no escritório e no carro. Quanto mais você a tornar consciente, mais significativa ela será. Faça com que ela fique visível e acessível até criar raízes em sua consciência.

2. Outro processo para torná-lo mais capaz de decidir sobre seu futuro é chamado, às vezes, de mapeamento do

tesouro – é uma colagem para visualizar seus sonhos. É interessante fazê-lo com um grupo de amigos. Tudo de que você necessita é uma placa de compensado, algumas de suas revistas favoritas, tesoura e cola.

Visualização do Mapeamento do Tesouro

Feche os olhos, volte ao elevador interno e desça sete andares. Quando sair do elevador, você verá o seu lindo jardim. Caminhe por ele e observe as flores e as árvores. Olhe as folhas verdes e viçosas e sinta o aroma das flores. O dia está lindo e os pássaros estão cantando. Preste atenção na cor do céu. Qual é a temperatura do ar? Está frio ou quente? Você sente uma brisa em seu rosto? Aspire a beleza e os perfumes do seu jardim sagrado. Agora vá até o seu lugar de meditação. Sente-se confortavelmente; sinta-se bem relaxado. Em seguida, imagine a sua vida daqui a um ano. Você tem tudo o que sempre quis. Todos os seus sonhos se concretizaram; você se sente em paz e feliz. Confia em si mesmo e no Universo. Sua busca de significado está concluída, e você está confiante em relação ao futuro. Com que se parece sua vida? Fique algum tempo imaginando isso. Seus relacionamentos se assemelham a quê? Como está a sua saúde? O que você está fazendo para se divertir? Como está a sua família? E suas finanças? O que você está fazendo para crescer espiritualmente?

Depois de fazer a visualização, percorra as revistas e recorte as figuras que, de alguma forma, mexam com você. Não pense durante o processo; apenas folheie as revistas, tão rápido quanto puder, e retire as figuras que lhe transmitem energia positiva. Ajuste um cronômetro para dez ou quinze minutos. Se você levar mais tempo do que isso, perderá a espontaneidade. Simplesmente deixe-se guiar pelos primeiros impulsos. Quando seu estoque estiver pronto, siga em frente e comece a colagem.

Assim que você acabar, ponha a colagem num lugar onde fique bem visível. Use as imagens para se lembrar dos desejos do seu coração.

3. Agora, descubra qual é a comparação que pode ser feita entre a sua vida atual e a que você observou na visualização. Pegue uma folha de papel e anote todas as coisas na sua vida que são incompatíveis com o futuro que você visualizou na sua colagem. Então escreva tudo o que você está fazendo para criar o futuro que imaginou. Se não estiver dando os passos necessários para criar o seu futuro, você pode mudar isso reconhecendo a verdade e fazendo um plano de ação. O mais importante é dizer a verdade a si mesmo. Anote no papel as coisas da sua vida que são incompatíveis com o futuro que você anseia; depois, comece a fazer um plano para eliminá-las da sua vida.

EPÍLOGO

Vamos examinar uma vez mais se tudo isso vale a pena, se é válido gastar tempo e energia para restaurar a integridade do seu ser, para elevar seus pensamentos da desesperança para o esclarecimento. No momento em que você descobrir que aquilo que repousa sob a superfície da sua consciência não passa de pensamentos e sentimentos não-trabalhados, sua dor pode passar. Quando você permitir que todas as partes reprimidas subam à superfície, será capaz de suspirar aliviado e continuar respirando com facilidade novamente. Ao retirar a máscara que esconde a sua vulnerabilidade e a sua condição humana, você se encontra face a face com seu verdadeiro ser.

Eu o guiei através de um longo e profundo processo para você descobrir que a pessoa que você é, no mais profundo do seu ser, é "suficiente". Exploramos o mundo do universo holográfico, onde todos fomos feitos iguais e tudo é perfeitamente equilibrado. Descobrimos o mundo espantoso da projeção, em que o Universo tão generosamente reflete de volta todos os aspectos rejeitados. Aprendemos a ver que não só possuímos as qualidades que mais abominamos, mas esses traços negativos trazem benefícios. A função deles é nos guiar para o lugar aonde nosso coração deseja ir, onde mora a compaixão. Quando nos apropriamos daquilo que mais tememos e odiamos e o incorporamos, somos capazes de devolver o equilíbrio ao nosso ser. Como diz Deepak Chopra: "O não-julgamento cria o silêncio da mente". Uma mente silenciosa está limpa para ouvir as palavras do nosso bem maior, as palavras do Espírito.

Todos nós temos a oportunidade de limpar o nosso castelo e de abrir as portas de todos os aposentos. Podemos entrar e remover a poeira que esconde o brilho e a beleza de cada cômodo. Percebemos que cada um pede alguma coisa diferente para conseguir brilhar. Alguns cômodos pedem amor e aceitação. Outros, consertos e reformas. Outros, ainda, querem apenas atenção. Não importa o que cada aposento precise, pois sabemos que somos capazes de lhes dar o necessário. Para viver em toda a nossa grandeza, precisamos deixar que todas as partes do nosso ser magnífico se apresentem e sejam respeitadas. Precisamos sair de nossa bolha de falsas percepções e ficar sobre a onda de uma nova lucidez. Como indivíduos, temos de expandir nossa consciência interior para incluir todas as partes da nossa condição humana. Se você se enxerga como uma casinha, tem de criar um espaço interno para abrigar um castelo inteiro.

Você quer mesmo um espaço interior? Se quiser, ele é seu. Renda-se. Pare de lutar, de se defender, de fingir, de negar. Pare de mentir a si mesmo. Reconheça suas defesas, suas barreiras, a gaiola que o prende. Não lute pela perfeição, porque é a obsessão por ela que acaba nos levando a levantar essas barreiras. Batalhe pela integridade, pela luz e pela escuridão, para viver com igualdade. Da mesma maneira como todas as coisas têm um lado claro e um escuro, assim também acontece com as pessoas, porque ser humano é ser tudo.

Ouvi uma história muito interessante contada pelo Guru Mayi, o líder da Sidha Yoga Foundation. O dirigente de um próspero reino mandou chamar um de seus mensageiros. Quando ele chegou, o rei lhe disse para ir em busca da pior coisa do mundo e trazê-la dentro de poucos dias. O mensageiro partiu e voltou dias depois, com as mãos vazias. Confuso, o rei perguntou-lhe: "O que você encontrou? Não estou vendo nada". O mensageiro disse: "Está aqui, majestade", e pôs a língua para fora da boca. Atônito, o rei pediu ao jovem que se explicasse. O mensageiro disse: "Minha língua é a pior coisa que existe no mundo. Ela pode fazer coisas terríveis. Minha língua fala coisas ruins e conta mentiras. Posso exceder-me na comida e na bebida com ela, o que me deixa cansado e enjoado, e sou capaz de dizer coisas que ferem outras pessoas. Minha língua é a pior coisa do mundo". Satisfeito, o rei mandou que o mensageiro fosse em busca da melhor coisa que existe no mundo.

O mensageiro partiu apressadamente e, como da outra vez, voltou com as mãos vazias. "Onde está ela?", o rei perguntou. De novo, o mensageiro pôs a língua para fora. "Mostre-me", disse o rei, "como isso é possível". O mensageiro respondeu: "Minha língua é a melhor coisa do mundo, pois carrega mensagens de amor. Somente com minha língua posso expressar a irresistível beleza da poesia. Minha língua me ensina o refinamento dos sabores e me orienta na escolha de comidas que nutrem o meu corpo. É a coisa mais importante do mundo, porque me permite cantar o nome de Deus". Satisfeito, o rei indicou o mensageiro para tornar-se o primeiro entre seus conselheiros pessoais.

Todos nós temos a tendência de ver as coisas em preto-e-branco. Mas há bondade e ruindade, claridade e escuridão, em tudo. Negá-lo em algum lugar é negá-lo em todo lugar. Não há nada que possamos ver que não seja Deus, e, quando conseguimos perceber isso dentro de nós, somos capazes de percebê-lo em todos.

Nosso mais profundo anseio é por paz, amor e harmonia. A vida é uma breve e preciosa jornada, e nosso mandato é a expressão de nossos talentos únicos. Ao expressar a própria individualidade, recuperamos a divindade. É fácil perder de vista aquilo que nos é mais precioso. Não retenha o seu amor nem o seu perdão. Não esconda a sua compaixão nem a sua misericórdia. O relacionamento mais importante é com você mesmo, com todo o seu ser, inclusive com a sua sombra. É essencial lembrar que os bons relacionamentos são contínuos. Precisamos crescer continuamente e superar os obstáculos que ficam em nosso caminho. Os bons relacionamentos nos desafiam a nos tornarmos maiores do que imaginamos ser. Obrigam-nos a nos esticar, a expandir o nosso coração. Precisamos nos tornar íntimos do nosso eu sombrio; ele é uma parte santa e sagrada de cada um de nós. Basta você assumir o compromisso de se manter se vendo, se amando e abrindo o seu coração. Valorize a sua divindade e estará valorizando o dom da vida. Nesse estágio, você começará a mergulhar na experiência mística e maravilhosa de ser humano.

Para ter acesso a Debbie Ford diretamente, por favor, telefone ou envie carta para:

P.O. Box 8064
La Jolla, CA 92038
(619) 595-5899

e-mail: www.fordsisters.com